D1203263

ET PLANENT LES OMBRES

NICOLAS FAUCHER

ET PLANENT LES
OMBRES
LE FLÉAU DU CAROUGE

ÉDITIONS
MICHEL
QUINTIN

Catalogage avant publication de Bibliothèque et Archives nationales du Québec et Bibliothèque et Archives Canada

Faucher, Nicolas

    Et planent les ombres

    Sommaire: 1. Le fléau du carouge -- 2. La nuit des âmes. Pour les jeunes.

    ISBN 978-2-89435-641-8 (v. 1)
    ISBN 978-2-89435-643-2 (v. 1)
    ISBN 978-2-89435-645-6 (v. 2)

    I. Titre. II. Titre: Le fléau du carouge. III. Titre: La nuit des âmes.

PS8611.A825E7 2013   jC843'.6   C2013-940256-X
PS9611.A825E7 2013

Illustration de la page couverture: Boris Stoilov
Illustration de la carte: Nicolas Faucher
Infographie: Marie-Ève Boisvert, Éd. Michel Quintin

 Le Conseil des Arts du Canada
The Canada Council for the Arts
 Patrimoine canadien   Canadian Heritage

La publication de cet ouvrage a été réalisée grâce au soutien financier du Conseil des Arts du Canada et de la SODEC.

De plus, les Éditions Michel Quintin reconnaissent l'aide financière du gouvernement du Canada par l'entremise du Fonds du livre du Canada pour leurs activités d'édition.

Gouvernement du Québec – Programme de crédit d'impôt pour l'édition de livres – Gestion SODEC

ISBN 978-2-89435-641-8
Dépôt légal – Bibliothèque et Archives nationales du Québec, 2013
Dépôt légal – Bibliothèque et Archives Canada, 2013
© Copyright 2013

Éditions Michel Quintin
4770, rue Foster, Waterloo (Québec)
Canada J0E 2N0
Tél.: 450 539-3774
Téléc.: 450 539-4905
editionsmichelquintin.ca

1 3 - L B F - 1

Imprimé au Canada

Aux trois fomors, qui travaillent dans l'ombre
À Andrée, ma muse, pour tout le reste

Les Sept Royaumes

Mythill
Troisième Royaume

mont Khyrrune

Brunask

• Valgrad

Effrith Khyr
Quatrième Royaume

Thetrakis

• Largon

Nécropole
Septième Royaume

Andriague

Route des Endeuillés

Mezalrune

Arzareth

Keldone

Dorom Khyr
Cinquième Royaume

Ferelgard
Sixième Royaume

1

LA NUIT DES LOUPS

— Capitaine Lothar !

Le jeune homme d'armes hélait son supérieur. Un homme au visage érodé et à la barbiche recourbée tourna la tête vers celui qui l'appelait.

— Capitaine Lothar, nous les avons.

Le capitaine des carouges emboîta le pas vigoureux de son subalterne. La nouvelle avait de quoi l'intéresser. Sa troupe pistait la meute de loups pourpres depuis plusieurs jours déjà. Quelques collines plus loin, le pisteur s'affairait à confirmer son verdict.

— Alors, Méolas ? Ce sont les nôtres ? s'inquiéta le capitaine.

— Une meute de cinq ou six bêtes environ. Le mâle dominant est nettement plus lourd que les autres... et il est blessé, conclut le carouge.

— Pas de doute, ce sont nos loups, capitaine, affirma le second officier.

— Exactement là où l'avait prévu le Garou, renchérit un autre.

— Oui… Il a du flair pour le mauvais œil, ce Garou.

Le capitaine tripotait sa barbiche. Autour de lui, ses carouges attendaient calmement les ordres.

— Bon, Arianon, tu me rassembles tout le monde. Méolas, dès qu'ils rappliquent, tu prends les autres pisteurs avec toi; je veux une tactique d'approche de la meute, exigea Lothar. Du gros surtout. On ne va pas les suivre jusqu'à Melkill! Cette nuit, je veux la peau du loup pourpre comme couverture!

— Oui, mon capitaine!

— Ethmer, va prévenir le bourgmestre de Source-Noire. Que ses gens se terrent derrière des portes closes! Préviens-les de la présence de loups pourpres dans les parages et fais-moi rapport.

Alors que le carouge s'exécutait, un autre sonnait le rassemblement de quelques coups nasillards de bombarde.

— Anghelis accourt avec son détachement, capitaine.

Le claquement des capes au vent et le son des bottes accourant sur la terre gelée se rapprochèrent de Lothar. Les six carouges étaient au rapport, Tomass Anghelis dit le Garou à leur tête. Sans laisser le temps au Garou de reprendre son souffle, Lothar lui saisit les épaules d'une poigne virile :

— Tu avais vu juste, Tomass. Nous les avons ! Toute la meute !

— Heureux de l'entendre, capitaine, souffla le Garou. Je crains cependant de ne pas avoir d'aussi bonnes nouvelles, lâcha-t-il en pointant vers la lande d'où il arrivait. Des fomors !

— QUOI ? Tu en es sûr ?

— Nous avons reconnu les empreintes infimes des fers de leurs chevaux. Des empreintes fraîches.

Les autres approuvèrent de quelques hochements de tête. Lothar ne l'écoutait plus. Il avait trop confiance en le Garou pour douter de ses conclusions. Il n'en était pas moins préoccupé, car la présence des fomors n'était jamais de bon augure. « Et si les fomors attiraient précisément ces bêtes de l'Ombre si loin au sud, près des Hameaux ? Ou alors peut-être qu'un seul et même mal appâtait fomors et loups ? » L'heure n'était pas aux conjectures ni aux théories saugrenues : les desseins des fomors étaient par essence mystérieux. Cependant, Lothar pestait de les savoir marauder dans les environs alors que ses carouges s'apprêtaient à chasser du loup pourpre. Les annales des guerriers-chasseurs du Mythill faisaient état d'un affrontement entre un fomor et un des leurs, plusieurs années auparavant. Le carouge avait eu le dessus. Il avait néanmoins disparu mystérieusement quelques jours plus tard. Secret de fomor.

Sur les collines de la lande des Hameaux se rassemblait la compagnie des carouges du capitaine Lothar. Celui-ci la rejoignit, suivi du Garou et de ses hommes. Méolas et les pisteurs l'instruisirent de ce que la terre et la neige avaient révélé des déplacements des loups et lui firent part de diverses suggestions tactiques. La barbiche du capitaine roulait sous ses doigts secs et rudes. Le regard perplexe, Lothar écoutait attentivement ses carouges, en particulier les réflexions de Tomass. Le capitaine échafaudait lentement le plan qui serait le leur cette nuit. Ses ruminations stratégiques furent cependant interrompues; Ethmer s'en revenait du hameau au pas de course.

— Mon capitaine, je crains que nous n'ayons pas la collaboration des gens de Source-Noire, s'essouffla le carouge.

Lothar fronça des sourcils interrogateurs.

— À l'heure qu'il est, reprit l'autre, au hameau, on s'affaire aux derniers préparatifs d'une joute des loups.

— Mais, ils sont fous! tonna Lothar. S'ils

n'y prennent garde, le jeu n'aura jamais aussi bien porté son nom ! Sont-ils ignares à Source-Noire au point de ne jamais avoir entendu parler des loups pourpres ?

— Je leur ai parlé des loups, capitaine. J'ai réitéré votre demande et ses motifs à maintes reprises auprès du bourgmestre et de ses gens. On m'a assuré qu'on n'avait pas vu de *male-bêtes* au sud du hameau des Buses depuis des lustres.

— Le bonze oserait défier les avertissements des carouges ? Ne sait-il pas qui sont Lothar et ses hommes ? s'indigna le capitaine.

— Il connaît la réputation de notre compagnie, capitaine, aussi s'est-il dit quelque peu rassuré. Il semble que la joute ait été retardée à maintes reprises déjà. Il compte sur notre présence pour rassurer ses gens et faire en sorte qu'elle puisse enfin avoir lieu.

Le capitaine Lothar pesta contre le sort. Avec autant de pauvres hères gambadant dans la lande pour une bête joute des loups, il serait téméraire de mettre à exécution l'idée de terrasser le chef de meute cette nuit. Le serment des carouges était clair : protéger les gens du Mythill. Le bourgmestre venait gentiment de le lui rappeler.

— Ethmer, à vue de nez, combien de feux sacrés pour sécuriser le hameau ?

— Mais, capitaine ! Il ne nous restera plus assez d'aubépine pour la chasse et…

— Il a raison, capitaine Lothar, renchérit le Garou.

— Combien de feux sacrés ?

— Trois, peut-être quatre.

— Très bien. Ethmer, prends deux carouges avec toi. Retournez au hameau et trouvez-moi les meilleurs emplacements pour trois feux. Luria et Tomass, vos détachements monteront le camp en lieu sûr. Tâchez d'y trouver du repos avant la tombée de la nuit. Nether, quant à toi, tu iras nous quérir de l'aubépine à Brignac. Si ça se trouve, les loups pourpres nous y auront conduits avant que tu n'en reviennes, ironisa le capitaine, amer.

— Si je puis me permettre, capitaine, osa le Garou, en envoyant Nether à Brignac, vous nous privez du colosse pour cette nuit, et…

— Et lui seul est capable de rapporter suffisamment d'aubépine pour qu'on puisse en finir avec cette meute avant que tout le Troisième Royaume ne soit envahi par ces monstres de l'Ombre. On perd une nuit, mais j'ai encore l'espoir de les arrêter avant qu'ils n'atteignent les landes de Namor.

— Qui nous dit qu'ils iront si loin ? argua le Garou.

— Qui aurait cru qu'ils s'aventureraient

16

au sud à ce point ? On ne les avait encore pratiquement jamais vus si près des villages. Voilà qu'ils rôdent autour de Source-Noire. Il se trame quelque chose de très inhabituel, et je ne m'étonnerai pas de les voir descendre jusqu'à Melkill.

Lothar mit une main sur l'épaule de son guerrier.

— Va te reposer, Tomass. J'aurai besoin de toi cette nuit. En attendant, m'en vais lui botter le derrière, à cet idiot de bourgmestre ! conclut Lothar pour lui-même.

De tout temps, les loups avaient occupé une place importante dans le cœur des gens des Hameaux. D'une part, il y avait les loups blancs. Quoiqu'ils fussent une préoccupation constante pour les bergers, plus que les coyotes ou les renards, on disait des loups blancs qu'ils ne s'en prenaient que très rarement aux habitants des Hameaux. De vieilles légendes racontaient même que certaines meutes de jadis avaient affronté des *morvelons* en maraude, préservant du même coup maintes vies humaines. D'autre part, il y avait les loups pourpres. Sinistres et vicieuses créatures, il était exceptionnel de les voir rôder, sinon la nuit des âmes, à la *Samain*. Dans les Hameaux, rares étaient ceux qui prétendaient en avoir jamais vu. Ces bêtes occupaient malgré tout une place prégnante dans les histoires de village, celles qu'on racontait au coin du feu pour effrayer les enfants qui refusaient de dormir.

Les loups, blancs et pourpres, faisaient aussi l'objet d'un jeu: la joute des loups. Occasion de rivalité, tantôt amicale, tantôt prestigieuse, entre clans et villages, annuelle ou festive, la joute des loups, dans ses multiples variations, était monnaie courante dans la région du Mythill que l'on appelait les Hameaux. À Source-Noire, on y recourait trois fois l'an pour distribuer les tâches les moins prisées. Dans ce hameau, comme chez ses voisins, on était charbonnier. Dur et salissant labeur, ce travail répugnait pourtant moins que celui de milicien. Bien que les rixes entre clans fussent rares, chaque nouvelle année comptait son lot de blessés, de morts parfois, parmi les miliciens qui escortaient les convois de houille. À Source-Noire, l'heure était venue de jouer aux loups. Les gens s'impatientaient, et l'on murmurait que le bourgmestre retardait volontairement la joute pour protéger son neveu, affecté depuis trop longtemps à des tâches légères. Cette nuit-là, à Source-Noire, quoi qu'en dise le capitaine des carouges, on redistribuerait les affectations.

Mathias participait à la joute des loups pour la dixième fois. Il s'était retrouvé du côté des gagnants à presque tous les coups. Il avait même été loup blanc à deux reprises. Mais ce soir, il avait à l'esprit autre chose que la victoire. La présence des carouges dans les environs éloignerait à coup sûr les morvelons ou les brigands. Il n'y avait donc guère de danger à s'aventurer un peu plus loin au-delà des murs du hameau. Et cela ne pouvait pas mieux tomber. Mathias et Élisane, qui se fréquentaient depuis quelque temps, concouraient tous deux à la joute de cette nuit. Le jeune homme avait donc donné rendez-vous à sa douce.

Au signal du bourgmestre, Mathias, à l'instar des autres joueurs, s'était précipité vers la malle qui lui avait été assignée. Il y avait pris la cape, le masque et la breloque. Mathias était loup, encore. Le jeune homme avait refermé la malle et s'était ensuite dirigé prudemment vers le lieu-dit. En tant que loup, c'était à lui de traquer les autres. Le risque était donc faible qu'il puisse être la proie d'un autre joueur si tôt dans la partie. Mais il y avait aussi le chasseur et le loup blanc. C'eût été trop bête de se faire prendre avant d'avoir pu obtenir quelques baisers d'Élisane. Le cœur battant de ce qu'il oserait demander à son aimée, il avait gagné l'obscurité du grand moulin. Il attendait, impatient.

L'expectative l'obnubilait. Il négligeait les signes qui, en d'autres circonstances, l'auraient alerté, sinon de la présence d'autres protagonistes dans les environs, à tout le moins de l'étrangeté des circonstances. Au loin, de l'autre côté du hameau, trois coups de bombarde avaient retenti. Mathias n'y avait pas prêté attention. Il ne s'était pas non plus inquiété de la soudaine fanfare de bêlements du troupeau de chèvres du père Logon, entassées dans un coin de l'enclos. Les yeux rivés sur la pulpeuse silhouette qui s'aventurait dans sa direction, il ne s'alarma pas davantage du fait que les chèvres s'étaient tues aussi subitement qu'elles avaient entamé leur fanfare. « Élisane ! Viens vite, ma douce », avait-il chuchoté. Mais la silhouette se figea, terrorisée. Alors que le jeune homme tendait une main secourable à l'élue de son cœur, un grognement animal déconcertant le fit aussitôt émerger de ses fantasmes juvéniles. Mathias fit volte-face. Il rencontra une paire d'yeux qui n'avaient rien de la douceur nubile de ceux d'Élisane. C'était pourtant dans ceux-là qu'il se perdrait cette nuit.

Tomass et ses subalternes étaient prêts. Bottes sanglées, capes au vent, heaumes ajustés, *kerpans* dans leurs fourreaux, les carouges attendaient les ordres. Un soleil timide de printemps tardif s'était couché derrière les collines quelques heures auparavant. Il faisait maintenant nuit noire. Il n'y avait plus guère de neige au sol, et les pierres qui affleuraient un peu partout semblaient absorber le peu de lumière blafarde d'une lune discrète. Si de telles ténèbres seyaient bien aux loups pourpres, elles constituaient aussi, d'ordinaire, une occasion de chasse dont les guerriers-chasseurs du Mythill avaient su profiter à maintes reprises. Cette nuit, par contre, le couvert de l'obscurité serait à l'avantage des loups, s'ils daignaient se montrer. Le capitaine Lothar avait bon espoir que les feux sacrés les tiendraient éloignés. Situation envisageable, certes, mais Tomass sentait qu'il en serait autrement. Ce don que d'aucuns avaient considéré comme des accointances avec le mauvais œil, et que Tomass n'arrivait pas lui-même à expliquer, avait maintes fois été utile chez les carouges. Cette pesante sensation qui l'étreignait alors que le surnaturel cherchait à se manifester, sensation qui l'avait si souvent mis dans l'embarras autrefois, était devenue son trait distinctif chez les carouges. Ce sens animal du malin lui avait valu son surnom de Garou.

Tomass tressaillit lorsque retentit le cor de Source-Noire. « Ce n'est que ce puéril jeu des loups qui s'amorce, pensa-t-il. Tête froide, mon vieux. Ces sales bêtes se pointeront et faudra pas les manquer. » L'attente était pénible. Les nuits étaient encore très froides dans les landes nordiques du Mythill. Le carouge serrait les doigts pour les réchauffer. À travers les fentes de son heaume en bec d'oiseau, il scrutait attentivement tout mouvement dans les collines. Cela devenait compliqué avec tous ces gens qui couraient ici et là vêtus de capes noires. L'on entendait parfois quelques cris : des charbonniers que leurs congénères à breloque de loup venaient d'attraper. Chaque fois, Tomass sursautait. Il se sentait plus nerveux qu'à l'habitude.

Doigts et genoux engourdis, il allait entreprendre quelque gymnastique lorsque la bombarde retentit à son tour. Trois fois. « Les voilà ! » L'appel venait du sud. Tomass répondit en envoyant deux de ses six carouges voir ce que Luria et les siens avaient identifié. Tomass n'avait plus froid.

— Maître Tomass ! dit un de ses hommes qui s'en revenait au pas de course. Maître Tomass ! Ils sont là ! Au moins quatre ! Luria croit qu'elle peut les encercler. Le capitaine Lothar souhaite tenter le coup. Luria veut des troupes et les *griffus*, s'essouffla le guerrier.

— Qu'il en soit ainsi. Finissons-en, si Lothar le croit opportun. Vous y allez tous… Sauf toi, Utter. Tu restes avec moi… et je garde un des lézards.

— Maître Tomass, les griffus seront utiles à…

— J'en garde un. Prenez l'autre. Quatre loups, tu as dit. Quatre. Pas six. C'est donc que les autres se terrent. Protéger les gens du Mythill : tel est notre devoir. Allez ! Vous avez assez perdu de temps.

Les quatre hommes déguerpirent avec un des reptiles. Utter resta, comme convenu. Il n'osa pas remettre en question le jugement de celui qu'il considérait comme un chef avisé et un ami.

— Garde les yeux ouverts, Utter, lui recommanda Tomass. Nous saurons bien assez tôt s'ils ont réussi ou s'ils ont besoin de nous. En attendant, tes yeux et tes oreilles seront plus utiles vers le nord.

La soudaine agitation des carouges ne sembla pas se répercuter sur l'intensité de la joute des loups qui sévissait toujours. Le tout aussi soudain concert de plaintes craintives des chèvres du père Logon ne parut pas non plus inquiéter les gens de Source-Noire. Tomass, lui, y vit quelque mauvais augure. Il se saisit aussitôt de la bride du griffu qu'il monta de suite.

— Ton arc, Utter !

Les deux hommes scrutèrent plus sérieusement encore l'obscur paysage qui s'étalait devant eux. Une ombre, un mouvement, un grognement… Ce qui terrorisait les chèvres ne pouvait être loin.

— Le moulin !

Sans attendre la réaction de son subalterne, Tomass dirigea sa monture vers le loup pourpre. Il retira prestement un de ses deux kerpans de son fourreau. Il hésita à charger directement la bête. Une femme revêtue de la cape du jeu des loups se tenait immobile, terrorisée, mais le monstre rivait les yeux sur une autre proie : quelqu'un qui regretterait de s'être aventuré au-delà du moulin et de la zone protégée. Il était difficile de charger la bête sans risquer de mettre en danger l'un ou l'autre des individus. Tomass descendit lentement de son griffu et écarta doucement la jeune femme immobile. Celle-ci lui céda le passage et recula en tremblant, un cri latent étouffé au fond de la gorge. Le carouge dégaina son autre kerpan et les tint devant lui tels des ciseaux prêts à trancher net ce qui s'aventurerait entre les deux. Il tenta d'attirer l'attention de la bête, mais ce fut la sienne qu'on attira. Quelques dizaines de coudées plus loin, une silhouette. Une ombre dans les ténèbres qui trahissait son identité. Destrier noir au caparaçon cornu, cavalier de fer noir vêtu, un fomor en maraude.

Soudain, Tomass ne vit plus ses kerpans. Qu'en avait-il fait? Il ventait maintenant. Un vent chaud d'orage. Où était le fomor? Où était le loup pourpre? On criait, on pleurait, un peu partout autour de lui. Il n'était pas à Source-Noire. Un village. Un grand mal s'abattait alors en ce lieu insolite et pourtant familier. Il se sentit envahi, inondé de peur et de rage à la fois. Un étrange mal sévissait en ces lieux. Un mal qui voulait exercer son emprise, qui cherchait à s'incarner. L'impression était vive et tenace. Ces bras, décharnés, blafards, méconnaissables… Ils n'étaient plus vraiment les siens. Un souffle court, animal, un grognement… Mais il n'arrivait pas à se retourner, à faire face à ce qui l'étreignait, à ce qui était là et qui pourtant demeurait intangible, irréel. Des gens au désespoir l'imploraient et le fuyaient à la fois. Ces femmes en pleurs, ces corps au sol, ces déments tels des morts-vivants, une vision d'apocalypse. « Mais laissez-moi! Je veux bouger! Je veux émerger de ce cauchemar!» implorait Tomass. Mais aucun son ne sortait de sa gorge.

— TOMASS! Maître Tomass!

Ce nom. C'était le sien! Le carouge émergea confusément de son terrible songe.

— TOMASS! Mais ressaisis-toi!

Utter venait de passer juste à côté de lui, chargeant le loup pourpre qui avait profité de la torpeur du carouge pour s'en prendre au jeune Mathias. Le pauvre hère n'avait pas souffert longtemps. Il avait été égorgé pratiquement sur-le-champ, sous les yeux horrifiés de son amie qui hurlait maintenant de terreur. Utter avait sonné la bombarde, et déjà quelques autres carouges, dont Lothar, accouraient. Tomass, qui reprenait ses esprits, ne fut pas d'un grand secours pour son camarade. Ce dernier, gêné par le griffu et la jeune femme paniquée, n'avait pu décocher un tir franc sur la bête. Le trait à pointe de bois sacré n'avait qu'effleuré sa cuisse. Fou de rage, le loup pourpre s'était rué sur Utter. En mauvaise posture pour une réception efficace, le carouge s'esquiva plutôt. Le loup se rabattit sur le griffu qui fut pris par surprise. Le lézard fut lacéré à mort sans pouvoir offrir de réelle résistance. Utter en profita pour lacérer à son tour le loup qui lui offrait son flanc. La bête riposta, mais fut reçue par les deux lames qui la blessèrent de plus belle. Utter n'avait jamais affronté de loup pourpre seul, mais il se défendait admirablement, prenant exemple sur les talents de Tomass. Ce dernier ne recouvra ses esprits que lorsque tout fut terminé. Un jeune homme était mort, un griffu avait été abattu, et la meute que traquait la troupe de Lothar comptait un loup pourpre de moins.

2

LE JUGEMENT DES NORNES

— Tiens! Lave-toi.

Le garde lui avait presque lancé le bol et le linge avec lesquels il était censé se débarbouiller. En attente de sa sentence, Tomass avait évité les cachots de Melkill grâce à sa fonction de carouge. Il n'avait pas pour autant échappé au traitement réservé à un prisonnier. La nourriture avait été rare, avariée, l'eau rationnée, et il ne lui avait été permis de sortir de sa chambre que pour empêcher que ses excréments ne souillent une des salles d'un bâtiment autrement réservé à la garde royale. Si Tomass avait eu maintes occasions de maudire son sort, il souriait pourtant alors qu'il mouillait avidement son visage de l'eau du bol d'étain. Il fondait quelque espoir sur les événements de cette nuit. Si on le voulait plus présentable, c'était que les dames blanches avaient répondu à sa demande.

Il y avait maintenant vingt jours qu'il avait commis sa faute, vingt jours qu'il avait manqué à son devoir. Submergé par sa vision, il était demeuré interdit devant le loup sombre qui s'en était donné à cœur joie sur le pauvre bougre de Source-Noire. Triste sort, certes, mais l'on n'allait pas effacer dix années de loyaux services carouges pour ce qui n'était, en définitive, que le résultat de l'étourderie cher payée d'un charbonnier des Hameaux. Quoiqu'on le lui ait reproché, ce n'était ni la peur ni la maladresse qui l'avaient empêché de tailler en pièces le loup pourpre, mais une vision ! Ce n'était pas la première : il en avait eu deux autres au cours des semaines précédentes. Mais la dernière était différente. Une vision plus vraie, plus violente, plus terrifiante que toutes celles qu'il avait jamais eues. Des autres, il n'avait jamais parlé à personne, et pour cause, car au Mythill, les visions étaient l'affaire des initiées : les Nornes et leurs novices. Quiconque, autre que les dames blanches, se réclamait de tels pouvoirs ou s'adonnait à des pratiques occultes était immédiatement suspect. Lorsque, à son procès, Tomass avait osé invoquer une vision pour excuser son inaction, l'aveu avait provoqué un pesant silence.

Blasphème! Mais c'était pourtant la vérité. Pourquoi mettaient-ils sa parole en doute? Tomass Anghelis dit le Garou présentait l'un des plus brillants tableaux de chasse. Peu pouvaient se vanter d'avoir exterminé autant de loups pourpres. Il incarnait la droiture et la vaillance carouges. Le fameux capitaine Lothar ne l'avait-il pas pris sous son aile dans sa prestigieuse compagnie? Malheureusement, certains n'avaient pas prisé cette nomination. Plusieurs carouges avaient été choqués que l'illustre capitaine leur préfère un individu louche capable de sentir la présence du malin, quelque fine lame qu'il fût. Si Tomass se trouva à l'abri de la mesquinerie des envieux au sein de la compagnie de Lothar, d'autres carouges souhaitaient secrètement que ses accointances suspectes avec le mauvais œil soient exposées au grand jour.

Au procès, les choses ne s'étaient pas déroulées comme le Garou l'aurait souhaité. Certes, ses loyaux amis s'étaient longuement étendus sur ses faits d'armes. De même, le valeureux Lothar plaida dignement la cause d'un de ses plus précieux atouts. Malheureusement, le devoir qui l'appelait ne permit pas au capitaine de rester jusqu'à la lecture du verdict. À peine eut-il quitté le tribunal que les anciennes rivalités et le fiel des envieux se répandirent comme autant de taches sur les habits de carouge de Tomass. Ce qui n'aurait dû se solder que par un blâme mineur assorti d'une sentence symbolique avait pris les allures d'un règlement de compte. Les étranges dons qui lui avaient jadis valu son surnom n'avaient pas été oubliés. Les craintes endormies refaisaient maintenant surface. Devant l'imminence d'un châtiment injustifié, Tomass en avait appelé aux Nornes.

Pour les gens du Mythill, la magie était l'affaire des magiarks et seulement des magiarks. Or, aucun des mages anciens ne résidait au Mythill. Les pouvoirs surnaturels n'étaient donc pas bienvenus dans le Troisième Royaume. Faisait exception à cette règle la clairvoyance des Nornes. Les dames blanches étaient de grandes voyantes dont les pouvoirs étaient depuis toujours au service de la couronne du Mythill. Leurs visions, disait-on, avaient jadis été fort utiles dans la lutte que les peuples des Sept Royaumes avaient menée contre les morrighas. Pour plusieurs, qu'un blanc-bec, fût-il carouge, tente d'excuser sa faute en invoquant une vision tenait d'une audace éhontée ou de la pure folie. D'aucuns le croyaient en train de défier les juges: déjà surnommé le Garou, l'effronté en rajoutait. Mais lorsque Tomass, sentant la soupe chaude, implora la voluspa, le jugement des Nornes, on le prit au mot.

— Tu as perdu la tête ! lui avait lancé Utter, resté près de lui. La voluspa ? Ils vont de suite exiger ton écartèlement !

— Je sais ce que je fais, avait simplement répondu Tomass.

Il arrivait à l'occasion que l'on invoquât la voluspa. Mais l'on ne dérangeait pas les Nornes sans raison. Prononcé en cour de justice, le jugement des Nornes était sans appel. Certains y avaient trouvé leur salut, d'autres la mort. Tomass, lui, jouait quitte ou double, du moins, cela en avait-il l'air. Cependant, il croyait bien disposer d'un atout dans son jeu.

Alors qu'il était beaucoup plus jeune, le destin avait voulu qu'il croise à quelques reprises le chemin de dame Lachésis, la doyenne des Nornes. Il la savait avisée, sage et peu encline à succomber aux craintes naïves d'une plèbe facilement effarouchée. Plusieurs années auparavant, elle avait vu en Tomass un garçon honnête et bienveillant. Fort de ce souvenir, il avait fait appel à la mémoire et à la lucidité de la dame blanche. Elle témoignerait aux yeux de tout le Mythill de l'intégrité de Tomass. La Norne parlerait, elle prononcerait la voluspa, et personne ne verrait plus jamais en lui le Garou. Il souriait nerveusement : l'heure de vérité approchait.

Tomass se fit donc aussi présentable que le

lui permettaient les circonstances. On frappa bientôt à sa porte. Précaution inhabituelle. Il ne se dirigea pas vers la porte, mais se fit aussi droit et fier que possible. Quoique dépouillé de ses habits de carouge et paré d'une barbe vulgaire, Tomass n'avait rien perdu de sa dignité. Il attendit que l'on investisse son cachot.

On entrouvrit la porte. De l'autre côté, une voix posée et froide exigea que nul n'entrât ni ne gardât la porte. Les dames blanches étaient là. L'une d'entre elles venait de se présenter devant lui. Une novice sûrement. Les Nornes ne s'abaissaient pas à pareille proximité avec un simple prisonnier, fût-il carouge. La livide apparition releva doucement son capuchon et révéla un triste visage. La jeune novice portait déjà les signes de l'enseignement des Nornes. Elle n'était pas osseuse, pas encore, mais on ne lui trouvait plus les rondeurs charnues des jeunes bourgeoises de Melkill. Ses traits avaient commencé à se durcir, ses yeux verts à se vider. Tomass ressentait pourtant très clairement toute la lucidité et la clairvoyance de la jeune femme.

Livide et froide, la novice était malgré tout ce que Tomass avait vu de plus beau depuis longtemps. Les troupes de carouges comptaient peu de contingents féminins. La compagnie de Lothar n'en comptait qu'un, celui de Luria et de ses filles. Tomass ne répugnait pas à lorgner du côté des douces lèvres que laissaient voir les heaumes à bec d'oiseau des carouges. Mais le devoir passait avant tout, et l'ensemble de l'accoutrement carouge ne laissait guère de place à la grâce des silhouettes féminines. La novice, elle, était délicatement parée de voiles blancs translucides sous lesquels Tomass devinait, inventait le corps de cette jeune femme.

La novice le rappela vite hors de sa rêverie. Elle posa sa main sur la poitrine de Tomass. De l'autre, elle lui toucha le visage. Contact sévère et doux à la fois. Après quelques brèves secondes, la dame blanche recula, puis, dans une gestuelle cérémoniale, elle sortit de sous ses robes un petit stylet. Une sueur froide parcourut l'échine de Tomass.

« Rien à craindre, mon vieux, se convainquit-il. Elle est là pour toi, n'est-ce pas ? Comme tu le voulais. »

Comme s'il eût deviné le rite, il s'agenouilla et baissa la tête. La jeune femme lui prit la main gauche et lui massa l'avant-bras, tout en psalmodiant une parabole sacrée. Tomass sentit alors le stylet lui entailler le bras avec une délicatesse surprenante. Sensation froide, mais sans douleur. Son sang coula doucement, chaud, sur sa peau. La novice en recueillit les gouttes, sept, dans un médaillon qui pendait à son cou délicat. Elle le referma ensuite. Tomass allait se lever, mais elle le retint. Plongeant de nouveau la main sous ses robes, elle sortit un autre médaillon, semblable au précédent. Elle recommença le doux massage de son bras puis elle lui releva la tête et appuya son front contre le sien. Elle recueillit de nouveau le sang, sept autres gouttes, dans le second médaillon. Tomass ne comprenait pas les paroles qui étaient prononcées. Peu lui importait. Pourvu que le jeu en valût la chandelle. En attendant, ce contact, cette proximité lui procurait une douce chaleur dont il profitait de toutes les fibres de son corps.

Le sang fut vite recueilli, et la novice recula aussitôt. Il se redressa aussi.

— À quoi servira mon sang ? osa-t-il.

La jeune femme releva vers lui des yeux vides et brumeux, mais elle les voila de suite de son capuchon et se retourna. Tant pis. Tomass connaissait la légende comme tout le monde : le sang servait aux visions. Bientôt, les Nornes éclaireraient les trames de ce destin qui s'était joué de lui.

Le soleil devait être à son zénith. Mais, à Melkill, en ce matin du septième jour de la première semaine d'Ordan, nul ne pouvait en témoigner tant le temps était triste et gris. Tomass se tenait debout, au grand vent, grelottant dans ses vêtements usés, au sommet de l'esplanade où siégeait le tribunal. Il n'avait guère dormi la veille. Sa nuit avait été hantée par quantité d'images, dont celle de cette jeune femme sans regard qui avait sondé son âme.

Les violes cérémonielles retentirent soudain. De son perchoir, Tomass vit s'approcher les dames blanches telles des apparitions funèbres. Treize novices marchaient devant, treize derrière. Au centre de la procession, les trois Nornes, trois spectres blancs sur les chevaux sacrés, de pauvres bêtes décharnées qui ajoutaient au sordide de la scène. Pour Tomass, ce qui aurait dû être perçu comme l'annonce de sa libération ne le rassurait pas du tout. Il se sentait étourdi. Cette saison qui n'était ni hiver ni printemps, les loups pourpres qui défiaient soudain toute retenue, ses visions, autant de choses étranges qui l'avaient épuisé. C'était comme si son sixième sens pour le mauvais œil avait été engourdi. Ce midi-là, cependant, sa raison aussi se mit de la partie pour lui signifier que quelque chose n'allait pas comme prévu. Il y avait quatre chevaux. Trois pour les Nornes et un autre, sans cavalier. Le cœur de Tomass fit trois tours lorsqu'il le constata.

« Il doit y avoir une autre explication. Ça ne peut pas être ce que tu penses, mon vieux. »

Tomass fut saisi d'une angoisse terrible.

« Je me trompe… Ce n'est pas possible. »

Sur le dos de la bête sans cavalier se trouvait une étrange selle qui semblait porter ce que Tomass craignait de reconnaître : un écrin de fléau. Les Nornes allaient lui imposer la sentence du fléau. L'impensable se produisait.

Vingt-quatre ans plus tôt…

An 629 de la nouvelle ère. Troisième jour de la première semaine de la Grande Lune, la lune de Perkalond. Tomass avait huit ans. Kervron Anghelis, son père, l'avait fait lever de bon matin. Sa mère se portait mal et ne pourrait veiller sur lui ce jour-là. Les circonstances de la maladie étaient mauvaises. L'apanage de toute maladie. Kervron avait des responsabilités importantes à Melkill, auxquelles on ne se soustrayait pas pour les états de santé d'une épouse. Cela aurait été vu comme un caprice qu'il ne pouvait se permettre étant donné le niveau hiérarchique de ses fonctions.

Kervron Anghelis n'avait plus le choix. Aussi astucieux et éveillé son fils fût-il, laisser Tomass auprès de sa mère une journée de plus aurait nui au travail des guérisseurs et des médecins qu'il avait déjà du mal à payer. Il marierait donc pour cette fois ses responsabilités de bailli à celles de père. Il apprendrait quelques jours plus tard que cela n'aura servi à rien : sa femme trépasserait malgré tout.

En attendant, ce jour-là, il devait présider à une bien triste cérémonie. Un pauvre bougre allait devoir faire face aux tourments de son âme, ultime épreuve de la sentence du fléau. Tomass apprit de son père que le triste sire en question avait perpétré des crimes qu'il avait toujours nié avoir commis. Deux ans plus tôt, au moment d'être écartelé, il en avait appelé aux Nornes. À son grand malheur, loin de l'acquitter, elles lui avaient imposé la sentence du fléau. Le délai étant maintenant expiré pour le condamné sur l'esplanade, il relèverait le défi de son fléau ou mourrait.

Rien de ce que Kervron avait raconté à son fils n'aurait pu préparer le jeune garçon qu'était alors Tomass à ce dont il allait être témoin, laissé à lui-même dans une foule hétéroclite partagée entre un voyeurisme de mauvais aloi et une empathie sincère. Bousculé par une forêt mouvante de bras et de jambes, il s'était faufilé à l'avant-scène. Il arriva tout juste à temps pour entendre résonner les dernières paroles de son père à l'intention du condamné. Il vit les gardes le traîner sur l'esplanade devant l'estrade des Nornes. Il vit avec quelle indifférence on lui retira l'étrange pendentif, qui fut remis à une frêle silhouette tout de blanc vêtue. L'homme tremblait. Il avait mouillé sa culotte. Tomass ne comprenait pas et fut pris à son tour d'un désagréable frisson.

Devant les yeux impressionnables de l'enfant, l'homme était tombé sans connaissance aussitôt après que la dame blanche eut fracturé l'objet prisonnier du pendentif : le fléau. Le condamné se vautra tête la première sur les dalles brûlantes de l'esplanade. Tomass l'avait cru mort, mais l'homme s'était mis à trembler et à se convulser furieusement : une transe parsemée de cris et de râles qui dura trop longtemps au goût du garçonnet, incapable de détourner le regard. Une transe qui se solda, une éternité plus tard, par un silence de mort.

— Le fléau a parlé ! avait alors conclu Kervron Anghelis.

L'homme n'avait pas réussi à résister au châtiment magique. Comme pratiquement tous les autres avant lui, avait plus tard appris Tomass, il avait succombé à l'épreuve.

Le souvenir de l'homme et de son fléau revint hanter Tomass. Il sentit soudain ses jambes faiblir. L'attente d'une voluspa qu'il espérait salvatrice prenait une angoissante tournure. Tomass se sentit pris dans un étau.

Les cors de Melkill retentirent. La procession apparaissait maintenant sur l'esplanade des condamnés. Le box où se trouvait Tomass en était le point culminant. En dépit de cette position, Tomass se sentit nu et minuscule lorsque les montures sacrées chevauchées par les dames blanches prirent place. Le froid qui le rongeait n'était pas seulement celui du vent mordant de cette fausse saison, mais aussi celui de la crainte qui le taraudait maintenant.

Un rituel lassant et pourtant trop bref pour les nerfs de Tomass culmina par la voluspa, prononcée de la bouche même de dame Lachésis. Le verdict lui fit l'effet d'une lame froide lui transperçant les chairs. Tomass s'effondra.

La Norne avait bien eu une vision. Une vision spontanée, une vision majeure. De celles que l'on ne provoque pas, qui vous assaillent plutôt de toute leur violence, de toute leur vérité.

« Justement, s'était dit Tomass, c'est exactement ce genre de vision que j'ai eue ! Dites-leur, dame Lachésis ! » l'avait-il implorée intérieurement.

La Norne, toutefois, n'avait pas fait de la nature similaire de leurs visions un argument pour disculper Tomass. Au contraire. À son grand étonnement, elle avait prétendu l'avoir vu, lui, dans sa vision. Elle l'avait vu sous son vrai visage, celui d'un monstre qui les menaçait tous.

« Calomnies ! » aurait alors voulu crier Tomass. Les mots étaient restés coincés dans sa gorge. Il était stupéfait !

Ce fut un jeune homme confus et docile que les gardes royaux relevèrent pour recevoir sa sentence. Alors qu'on lui passait le terrible pendentif au cou, Tomass se sentait dans un étrange cauchemar auquel il ne parvenait pas à donner de sens.

La sentence du fléau était une très ancienne tradition dans le Troisième Royaume. Elle datait de la création du royaume, depuis que les premières Nornes s'étaient alliées à Valkyr, premier roi du Mythill et vainqueur de la morrigha de Brunask. Il s'agissait d'une tradition mystique dont le rituel appartenait entièrement et exclusivement aux Nornes. Fortes de leur clairvoyance, les dames blanches sondaient l'âme du condamné et emprisonnaient l'essence du mal qui le rongeait dans une petite sphère de cristal – le fléau –, qui était ensuite incrustée dans un bijou, le plus souvent un pendentif. La victime, condamnée à porter sur elle le terrible objet, disposait ensuite d'un maximum de trois ans pour méditer sur son sort et purifier son âme. Au terme de ce délai, elle devait se présenter de nouveau devant les Nornes pour faire face à son mal. Les Nornes brisaient alors la sphère et libéraient le châtiment magique, une épreuve dont la teneur était ressentie par les condamnés seuls. Ceux-ci offraient alors un bien triste spectacle. D'aucuns auraient dit que quelque chose s'emparait alors de leur âme. On les voyait se prendre la tête et hurler de douleur. D'autres s'écroulaient, les yeux révulsés et le corps secoué de violentes convulsions. Bien peu surmontaient pareille épreuve et, bien qu'alors réputés absous de leurs fautes, ils étaient avares de commentaires au sujet de la nature du défi de leur fléau.

Aux yeux de plusieurs, quoique juste et méritée, cette sentence équivalait à imposer quelques années de remords en prélude à une mort anticipée. À Tomass, l'on avait donné un peu moins d'un an. Si peu de temps ! Peu de temps pour sonder son âme, pour tenter de découvrir l'essence de ce qui avait été enfermé dans le fléau, pour se préparer à affronter ce mal qui serait libéré le jour où le fléau serait rompu, un mal qu'il ne considérait pas comme le sien. S'il ne se présentait pas devant les Nornes à l'équinoxe de printemps de l'année suivante pour relever le terrible défi, il devrait s'exiler définitivement ou être exécuté. Pour Tomass, qui, des autres royaumes, ne connaissait guère plus que ce que colportaient les rumeurs et les légendes, la mort ne constituait pas un châtiment bien pire que l'exil.

La nuit porte conseil, dit-on. Encore faut-il y trouver le sommeil, un bienfait qui fit cruellement défaut à Tomass au lendemain de sa condamnation. Il s'était couché la rage au cœur, tout abasourdi par l'absurdité des circonstances. Il n'avait pas fermé l'œil, aussi s'était-il levé en éprouvant toujours une colère brûlante. Au matin, les gardes l'avaient trouvé le visage crispé, les poings serrés.

C'était une erreur. Une horrible et absurde injustice que Tomass aurait voulu crier, hurler au Mythill tout entier ! Comment la Norne avait-elle pu en arriver à pareille conclusion ? Il s'était voué corps et âme à la défense de ses concitoyens, ceux-là mêmes qui avaient médit à son sujet et l'avaient tant moqué jadis. Il avait choisi de leur montrer sa valeur et s'y était employé vaillamment. Comment pouvait-il constituer une menace pour les siens ? Tomass maudissait son sort, maudissait les Nornes, maudissait les juges. Cette infamie le torturait. Il voulait crier, se défendre. Oui ! Une juste défense devant une instance impartiale! Il y avait droit! Malheureusement, les gardes qui l'accompagnaient n'y étaient pour rien et n'avaient cure de son tourment. Pas plus que les clercs à qui il dut remettre ses kerpans et ses habits de carouge. Il aurait voulu parler à ses amis, voir ses pairs. À son passage, ceux-ci étaient contraints de baisser les yeux ou de lui tourner le dos. Il aurait voulu cracher son fiel au visage de ses détracteurs. Ces derniers n'étaient pas sur place au moment de son départ. Si l'adhésion à l'ordre carouge se voulait cérémonielle, l'expulsion était expéditive et empreinte d'indifférence. À l'intense colère de Tomass succéda un sentiment croissant d'impuissance, tant et si bien qu'il eut bientôt du mal à retenir ses larmes. C'est avec le visage crispé d'un rictus d'immense honte qu'il quitta le covenant carouge de Melkill. Quelques ruelles plus loin, à l'abri des regards, il s'effondra et pleura.

3

LE PHILTRE DE FILIGRIANE

Tomass avait la gueule de bois. Il avait froid, faim, soif. Il avait l'air d'un mendiant plus que d'un carouge. Barbe longue, vêtements sales, mais les yeux grands ouverts. Sa respiration était calme, presque sereine. Quoique faible et mal en point, il n'avait pas l'intention de revenir sur sa décision. Il quitterait Melkill dès ce matin, mettant du même coup fin à une galère qui n'avait que trop duré. Trois jours durant, il avait erré dans les rues de la cité. La rumeur de l'homme au fléau s'était répandue comme une traînée de poudre, et, avant longtemps, il n'y eut plus à Melkill d'auberges qui veuillent l'accueillir ni de gens pour lui offrir l'hospitalité. Il trouva bien quelques victuailles au marché, mais sa réputation fit rapidement grimper les prix. Il en fut alors réduit à rôder dans les faubourgs mal famés de la grande cité.

Il but. Beaucoup. Du mauvais alcool. Il donna une ou deux corrections à des gredins en mal de vilenie. Il déambula en maudissant son sort deux fois plutôt qu'une. À trois reprises, il retira même son fléau pour le balancer au loin. Chaque fois, un soubresaut de raison avait retenu son élan. Comme un forcené que l'on marquait au fer, il avait repassé l'infâme objet à son cou, le dissimulant tant bien que mal des regards indiscrets.

Cela avait assez duré. On lui avait donné 282 jours pour purger sa faute avant de comparaître de nouveau devant les Nornes et de se soumettre à l'épreuve de son fléau. Il en avait déjà gaspillé trois. Aussi pénible qu'eut été la voluspa, elle était sans appel. Nul au Mythill, pas même le roi, ne remettait en question le jugement des Nornes. Les dames blanches avaient parlé en connaissance de cause et porté leur jugement pour le bien du Mythill. Voilà la fragile vérité à laquelle Tomass avait décidé de s'accrocher. Il trouverait donc le moyen d'affronter son mal avant l'équinoxe de printemps de la prochaine année.

Son malheur avait été provoqué par une vision. À n'en pas douter, le mal qui était soi-disant emprisonné dans le pendentif avait certainement quelque chose à voir avec la vision ou ce qui l'avait provoquée. C'était donc par là qu'il fallait commencer l'investigation. Malheureusement, aller cogner à la porte du temple des Nornes n'était de toute évidence pas une option. Il fallait trouver autre chose. Les spirites et médiums n'étaient pas monnaie courante dans le Troisième Royaume. Le sort qui leur était réservé les rendait discrets. Tomass, cependant, avait parcouru le pays de long en large au sein de maintes compagnies de carouges. Ses expéditions lui avaient permis de croiser à deux reprises la route de Brigga la sorcière. Il la savait capable de mijoter nombre de décoctions propices aux transes. Elle pourrait peut-être lui être d'une aide quelconque. Encore faudrait-il l'en convaincre. Il lui rendrait visite. La maison de Brigga était bâtie sur deux arbres, et l'on racontait au coin du feu qu'elle pouvait marcher. Ces histoires de sorcières avaient toujours bien fait rigoler Tomass, qui n'avait jamais vu en Brigga qu'une pauvresse hantée par ses dons.

« Tiens. En voilà une autre qui aurait pu s'appeler la Garou », s'était-il dit en la voyant la première fois.

Tomass partirait donc vers l'ouest. Il lui faudrait être rapide et précéder la rumeur de la venue d'un damné. Malheureusement pour lui, son or ne valait plus grand-chose à Melkill. Sa solde de carouge et ce qui lui restait de son héritage familial auraient pu constituer un très heureux pécule en d'autres circonstances. Mais ici, il n'avait même pas réussi à acheter une pauvre rosse malade à un marchand. L'homme s'était ravisé à la dernière minute, effrayé à l'idée qu'une transaction avec un damné puisse lui porter malheur ou gâter sa marchandise. Tomass devrait donc aller à pied. Qui plus est, la nourriture aussi promettait d'être source de préoccupations. Les carouges n'étaient pas des ascètes. Les parties de chasse et de traque tout comme la longue route qui attendait Tomass exigeraient en retour un lourd tribut alimentaire. Or, si Tomass était un chasseur aguerri, l'équipement lui faisait cruellement défaut. Ses bottes usées, ses vêtements trop légers pour la saison, son tabard troué n'avaient rien de comparable avec l'efficacité de l'accoutrement des carouges. Il avait tout de même pu récupérer son kriss, héritage de la famille Anghelis. Déjà, à onze ans, il en était très fier. Au-delà de la riche ornementation de la lame et du fourreau, ses trois paumes de lame torsadée en faisaient un impressionnant poignard. Aujourd'hui, une vingtaine d'années plus tard, il avait l'air bien misérable entre des mains qui avaient manié avec tant d'adresse les fameux kerpans. Le poignard ne ferait même pas un bon couteau de chasse. Il lui faudrait pourtant s'en contenter pour l'instant. Au moment de récupérer ses affaires, Tomass avait mis la main sur un arc et trois flèches : cadeau du brave Utter.

Tomass se leva donc de bon matin. Il serra les sangles de son sac, remplit sa gourde à la fontaine de la grande place du faubourg ouest, rangea comme il le put le pain et les rares victuailles qu'il avait obtenus en les faisant acheter par un pauvre hère à qui il avait dû offrir en échange de quoi s'acheter à boire et à manger. Il but jusqu'à étancher sa soif, et même davantage, puis s'engagea sur la route qui lui fit passer les portes de Melkill. Il marcha vite, sans regarder derrière, faisant fi des moqueries et des insultes. Il irait dans la région des Havres. Il y connaissait un homme, un ami, qui lui permettrait peut-être de s'équiper plus adéquatement. Puis il longerait le grand fleuve. Brigga avait l'habitude de s'y trouver.

La route solitaire de Tomass lui pesa rapidement. Bien sûr, c'était l'occasion de faire le point. Mais si Tomass ne se voyait pas raconter sa mésaventure au premier venu, il trouvait difficile de tout garder pour lui-même. Il soliloquait donc, ce qui n'était pas si mal. Ce monologue l'aidait à exorciser son tourment. Il aurait aimé croiser des voyageurs, pour acheter un peu de nourriture et, pourquoi pas, une couverture ou quelques flèches supplémentaires. Trois flèches ne lui permettraient pas de manger bien longtemps. De plus, elles pourraient s'avérer nécessaires pour assurer sa protection. Si les loups blancs chassaient plus au nord les cerfs et les mouflons, et s'il avait donné une leçon aux gredins des faubourgs de Melkill, armé de son seul kriss, il aurait plus de mal à repousser des bandits de grands chemins.

Le temps se fit clément les deux jours suivants. Mais l'essentiel des provisions de Tomass n'était plus qu'un souvenir. Il n'avait croisé personne sur la route à qui acheter des vivres. S'il avait su remplir sa gourde de nouveau, son estomac, lui, gargouillait inconfortablement depuis de trop longues heures. Sa cadence s'était considérablement ralentie. Tomass commençait à regretter d'avoir forcé le rythme et de ne pas avoir économisé ses forces pour une chasse mieux organisée.

Le soleil rougissait à l'horizon, et l'excarouge ne se voyait pas passer la nuit sans manger. Malheureusement, le petit gibier semblait avoir déserté la région, et les oiseaux étaient étonnamment silencieux. Il devrait se contenter de petites bouchées du poisson séché dont il lui restait encore quelques morceaux. Il avait quand même décidé de quitter la route au profit du couvert des arbres. Il aurait davantage de chance d'y dénicher de quoi grignoter si la providence se décidait à lui sourire.

Le guerrier-chasseur qu'il était repéra une colline d'où scruter les environs. Son œil fut bientôt attiré vers une futaie au feuillage précoce. Sur les lieux, il trouva une ambiance tiède et confortable. Tomass reconnut aussitôt l'odeur marquée qui se dégageait d'une touffe de mandragore. Il connaissait cette plante et s'en méfiait. Quoique souvent exagéré par les ragots, l'attrait que cette plante exerçait sur les monstres sylvestres était bien réel. La prudence était de rigueur.

Son attention fut ensuite attirée vers des bosquets de baies charnues. Son estomac eut aussitôt raison de sa prudence ; il s'abandonna avidement aux fruits étonnamment mûrs pour la saison. Repu, presque, il termina son repas de fruits aigres-doux couché sur la mousse encore givrée, à gober cinq ou six dernières baies, les yeux vers la cime des arbres, dont le feuillage encore timide s'assombrissait avec le soleil du crépuscule. Il se délecta de cette heureuse sensation de satiété.

À travers le son tranquille du vent dans les

feuilles, il lui sembla entendre couler de l'eau. Il se leva et repéra effectivement une source d'eau cristalline qui coulait gentiment entre les cailloux un peu plus loin. Il s'y rinça délicatement les doigts. Il fit de ses mains une écuelle dans laquelle il allait boire lorsqu'il sentit une présence. Rien n'était pourtant visible. Maintenant préoccupé par ce qui semblait vouloir se manifester et dont il ignorait toujours la nature, il ne se méfia pas de l'eau. Il but deux ou trois gorgées entre ses mains en scrutant les environs. L'eau exerça sur lui un attrait immédiat. Il en but davantage, goulûment. Divin nectar! Elle n'était ni trop chaude, ni trop froide, désaltérante à souhait. Il en ressentit aussitôt un plaisir réconfortant qui lui donna une très agréable chair de poule. Il en but encore, les yeux fermés, laissant lentement couler l'enivrant liquide dans sa gorge. Quel engourdissement suave que celui-là!

Lorsque Tomass se pencha de nouveau vers l'eau, il vit du coin de l'œil une silhouette, une apparition féminine, tout aussi agréable que l'eau de la source. Il fit néanmoins volte-face. À n'en pas douter, il s'agissait de la présence surnaturelle qu'il avait détectée. Malheureusement, il se retrouva étourdi au point d'en perdre l'équilibre. Il tomba à la renverse et se cogna solidement la tête sur une des pierres du ruisseau. Le piège avait été habilement tendu et sa vulnérabilité des derniers jours l'y avait fait mordre.

Agenouillé, il se massait la tête, en proie au vertige. Il sentait les effets de l'eau s'infiltrer sournoisement en lui. Il sentait sa raison le quitter. Il ne prêta bientôt qu'une attention distraite à la jeune femme. Il ne s'étonna pas de la voir si délicatement vêtue. Il la laissa approcher sans se relever. Elle fut bientôt près de lui, agenouillée comme une nymphe près d'une bête se désaltérant. Il sentit une main lui caresser le dos. Il se retrouva bientôt dans les bras de la jeune femme. Quelle incroyable tendresse ! Quelle splendide apparition !

— Nolwen, échappa-t-il en se rappelant soudain une jeune et belle femme des Hameaux avec qui il avait partagé de doux moments.

— Oui, répondit doucement une voix éthérée.

Elle était douce et belle, plus belle encore que dans ses souvenirs. Il s'en remémorait les hanches et la délicate poitrine. Il caressa celle qui s'offrait si impudiquement à lui. Et se laissa bercer par cette voix, douce et pure, qui fredonnait une délicate complainte.

C'est alors qu'un éclair de lucidité traversa l'esprit de Tomass : Nolwen chantait faux. Aussi charmante qu'ait été la jeune femme de son souvenir, sa voix était quelconque, et chanter la gênait terriblement. Or, la voix qui murmurait à son oreille était claire et juste. Il s'ébroua, réalisant toute l'ampleur de son ivresse.

— Chhhhhh… lui intima gentiment la créature en resserrant son étreinte.

Une fée! Mais oui, c'était évident. Tomass se rebiffa de nouveau, mais la créature le retint. L'ivresse l'envahissait rapidement tant il avait abusé du philtre. Il luttait intérieurement avec acharnement, et pourtant, quelle douce mort serait celle qui l'attendait dans les bras de pareille diablesse : une silhouette parfaite, voluptueuse à souhait. Ce qui lui restait de volonté l'implorait de résister, de se libérer de cette étreinte funeste. Malgré cela, ses mains se resserraient plus fortement encore sur ces seins maintenant lubriquement offerts. Il sentait dans son cou ce souffle mortellement sensuel. Il en tremblait de tout son être.

« NON! Ressaisis-toi! s'intima-t-il en vain. Ah, sale vipère! Si je n'étais si mal en point, je t'infligerais une de ces raclées! »

Dans son esprit luttaient maintenant deux impressions : celle d'une femme plus belle que le jour, et celle d'une créature verdâtre, à la peau fissurée comme du vieux cuir, aux cheveux hirsutes et aux dents pointues. Les yeux du monstre étaient ceux d'une sorcière et d'une nymphe à la fois. Tomass ne voulait pas finir ainsi, mais toute tentative de mettre fin à cette étreinte signifiait se libérer du plus doux contact que l'on eût pu imaginer, un effort que son esprit embrumé ne savait plus déployer. Il sentait les lèvres cruelles de son prédateur se rapprocher des siennes. Sa volonté s'étiolait.

C'est alors qu'une musique s'immisça dans le sous-bois. Doucement, d'abord, puis plus clairement, alors que la fée relâchait son étreinte. Tomass la vit alors sous son vrai jour, un abject serpent femelle. Il n'eut aucun mal à résister à l'envie de s'y unir cette fois. S'en dégager physiquement s'avéra plus difficile tant il était ivre. Ce fut plutôt la fée qui se désintéressa de lui. Comme enchantée par la musique, elle y prêta bientôt toute son attention. Il n'en fallut pas davantage pour ce qui restait de lucidité à Tomass. Il recula de plusieurs coudées. Sans trop comprendre ce qui se passait, il cracha deux ou trois fois comme s'il eût voulu extirper de son corps ce venin qu'il avait si avidement ingurgité.

À quelques coudées de lui se jouait une scène bien étrange. Un autre pauvre hère semblait maintenant danser avec la terrible créature.

Était-ce lui qui jouait de cette musique ou était-ce un autre sombre artifice de la fée ? Qu'avait cet homme de plus que lui pour qu'elle en préfère les charmes ? Avant longtemps, les deux amants incongrus furent engagés dans une étrange fornication aussi animale que céleste. Tomass en profita pour s'enfuir. Il zigzagua aussi loin que ses jambes purent le porter. Il n'avait guère mis de distance entre la fée et lui qu'il s'écroula.

Quand il émergea d'un sommeil troublé, Tomass avait toujours la gueule de bois. Une gueule de bois d'un genre qu'il n'avait encore jamais expérimenté.

Le soleil brillait déjà. La matinée devait être bien avancée. Tomass se frotta les yeux. Il avait très soif, mais il n'avait pas faim. Pour une fois. Encore étourdi par ses abus de la veille, il ramassa ses affaires et marcha un peu dans les collines, s'éloignant de la futaie, jusqu'à ce qu'il trouve un affleurement rocheux. Un ruisseau coulait d'une anfractuosité. Il s'y débarbouilla comme il le put tout en enrageant contre sa mésaventure de la veille.

— De l'eau de vertige. Tu parles d'un carouge ! Tu t'es fait prendre comme un cerf appâté. Tu penses convaincre une sorcière de t'aider, mais tu n'arrives même pas à reconnaître le piège d'une fée des bois ! s'accablait Tomass.

Buvant quelques gorgées d'eau fraîche – c'était bien de l'eau cette fois, il s'en était assuré –, il remarqua un reflet dans le ruisseau : quelqu'un ! Il ne l'avait pas entendu approcher. Le bruit du ruisseau avait couvert celui de ses pas. Cette fois, Tomass fut immédiatement sur ses gardes. Il se dressa et fit face à l'étranger. L'homme était grand, étroit, le visage anguleux et le nez aquilin. Il portait une barbiche qui rappela à Tomass celle du capitaine Lothar. Ses cheveux étaient cendrés, longs et en partie tressés. Quelque chose en lui était inhabituel. Son teint exsangue, peut-être. Ou alors son accoutrement étrange. Outre l'épée dont le baudrier pendait à sa ceinture, un autre objet dépassait d'un étui cylindrique. Tomass remarqua aussi un luth ou un quelconque instrument à cordes du même genre, accroché à son sac.

— Ça t'ennuie si je me sers ? dit-il avec un drôle d'accent.

Sans attendre la réponse, l'inconnu remplit sa gourde comme l'avait fait Tomass avant lui.

— Vas-y. Je partais de toute façon.

Tomass avait ramassé ses affaires et s'apprêtait à passer son chemin quand l'autre lui adressa de nouveau la parole.

— Est-ce que ceci t'appartient ?

Tomass se retourna. L'étranger venait de retirer de sa besace un objet. Un pendentif, apparemment. Aussitôt, Tomass palpa sa chemise. Il devint livide lorsqu'il constata que son fléau ne s'y trouvait plus. Tel un *urkian* furieux, il se rua sur la main qui tenait son fléau.

— De rien, dit l'homme.

— C'est à moi! Où l'as-tu trouvé? demanda sèchement Tomass en repassant l'indispensable bijou à son cou.

— Dans les bosquets de baies de Filigriane.

— Filigriane? demanda Tomass, qui devinait la réponse.

— La fée des bois…

Tomass recula. L'autre se mit à rigoler.

— N'aie pas peur! Je ne suis pas une fée ni autre chose du même acabit.

— Je n'ai pas peur! rétorqua Tomass, dont la main s'était posée sur la garde de son kriss. Je me méfie, c'est différent.

— Et je ne peux pas t'en blâmer. Du reste, je ne te veux aucun mal, crois-moi. Ou alors, il eût été plus simple de conserver ton pendentif, non?

Tomass avait reconnu l'individu. Il l'avait vu la veille dans les bras de la fée. Apparemment, il s'en était sorti. Il avait même l'air en pleine possession de ses moyens, ce qui ne le rendait que plus suspect.

— Bon, je suppose que je dois te remercier, dit Tomass embêté, mais je dois y aller maintenant, sur quoi il salua poliment l'individu.

— Tu vas vers l'ouest, non?

— Ça se pourrait. En quoi cela te regarde-t-il?

— En rien, certes, mais je m'y rends aussi. Peut-être pourrions-nous faire route ensemble?

— Je n'ai pas tellement envie de servir de garde du corps, je te remercie.

L'autre eut un fou rire.

— J'avais visité les Sept Royaumes bien avant ta naissance, jeune homme. Jusqu'ici, je m'en suis bien sorti tout seul. Qui plus est, de nous deux, ce n'est pas moi qui donnais l'impression d'avoir besoin d'un coup de main hier soir.

Tomass ne trouva pas l'allusion amusante du tout.

— Qui es-tu au juste?

L'autre eut un sourire amusé.

— Qu'est-ce qu'il y a de drôle? reprit Tomass. Je te demande ton nom. N'ai-je pas le droit de savoir qui est celui qui désire voyager en ma compagnie?

— Certes, mon ami, évidemment! Ce qui est cocasse, c'est que je sache qui tu es et que tu ne saches pas qui je suis, moi.

— Tu me connais? s'étonna Tomass, certain de ne jamais avoir croisé cet homme avant l'incident de la veille.

— Je ne te connais pas, enfin, pas encore, mais je sais qui tu es. Tu es celui que tous à Melkill désiraient voir quitter la ville. Tu es la plus récente victime du jugement des Nornes, n'est-il pas vrai?

Tomass ne répondit pas, mais son expression, à l'évidence, ne niait rien.

— Je sais ce que c'est que cet immonde objet qui te pend au cou. Je n'en avais jamais tenu dans mes mains auparavant, mais j'en avais entendu parler.

— Tout cela ne te concerne pas, le barde. Et je ne connais toujours pas ton nom.

— Je me nomme Jékuthiel. Du reste, je préfère le titre de ménestrel. Le mot barde est triste et terne, rétorqua l'autre en grimaçant.

— Jékuthiel? Jamais entendu parler.

— C'est cela qui est étonnant. Remarque, je ne m'en formalise pas, mais, en toute modestie, je ne crois pas qu'il y ait dans les Sept Royaumes ménestrel plus connu que moi!

— En toute modestie, ricana Tomass.

— Et toi, l'ami? Quel est ton mon?

Tomass hésita.

— Je comprends ta méfiance, mais la

courtoisie voudrait que tu te présentes à ton tour. C'est ce qu'on fait dans ce pays, non?

— Très bien. Je me nomme Tomass Anghelis.

— Tomass… Anghelis! réfléchit Jékuthiel. Anghelis, oui, c'est mieux… Ça t'ennuie si je t'appelle Anghelis?

— Euh, non. Pourquoi? demanda Tomass.

— C'est plus joli, plus mélodieux.

— Appelle-moi comme tu veux, de toute façon, moi, je m'en vais.

— Et mon offre, Anghelis? Qu'en fais-tu?

Tomass hésita. Il avait bien envie d'avoir de la compagnie quelque temps. Celle de celui qui l'avait tiré d'un mauvais pas honteux le tentait moins. Il céda néanmoins.

— Je me rends vers la côte. Si tu veux marcher avec moi, soit, je veux bien. Du reste, je ne peux guère t'en empêcher. Mais je te préviens, si tu traînes, je ne t'attends pas.

— À la bonne heure!

Sur ces mots, le ménestrel emboîta le pas au carouge déchu.

4

La route des Havres

À peine les deux voyageurs avaient-ils rejoint la route que Tomass se demanda s'il avait bien fait d'accepter la compagnie du ménestrel. Il craignait d'être ralenti, ou pire, que l'autre ne chante. Par ailleurs, pour peu qu'on le considère aux Havres comme on l'avait fait à Melkill, Tomass aurait tout intérêt à faire preuve de discrétion. Or, voilà qu'il marchait aux côtés d'un individu qui connaissait son terrible secret. Il était cependant un peu tard pour reculer. Tomass s'en remit à l'espoir que la présence du ménestrel jouerait en sa faveur. Après tout, un voyageur solitaire serait d'emblée suspect. Celui qui chemine avec un barde de bonne réputation serait probablement mieux accueilli. De toute façon, leurs chemins se sépareraient sans doute aussitôt arrivés aux Havres.

Au terme d'une première journée de route, Tomass avait peu à redire sur son compagnon de voyage. Quoique svelte, le corps du ménestrel était mu par des muscles noueux et endurants. Jékuthiel prétendait avoir beaucoup voyagé, et cela se confirmait. Il faisait de longues enjambées. Son pas était vigoureux et constant. En outre, le ménestrel s'était fait discret et avait respecté le silence de Tomass. Cependant, Jékuthiel fit bien quelques pauses. Retenant son souffle, les yeux fermés, il prêtait l'oreille. À la première occurrence, Tomass crut que l'autre avait, avant lui, perçu quelque danger potentiel. Mais ce n'était pas le cas. Pourquoi s'arrêter alors? Qu'était-ce donc qui méritait qu'on prête ainsi l'oreille? L'attention du ménestrel était chaque fois manifestement sincère. Et quand sur son visage se dessinait enfin un subtil sourire et que ses doigts commençaient à danser dans l'air, le ménestrel émergeait de sa méditation. C'est alors qu'il jouait. Tout en marchant d'un bon pas, il jouait ce qu'il avait entendu. Tomass ne rechignait pas devant une bonne gigue des veillées du Nouvel An, mais s'en lassait rapidement. N'ayant jamais été initié convenablement à la musique, il n'avait pour elle qu'un intérêt limité. Celle de Jékuthiel le fit changer d'avis. Tomass n'avait jamais rien entendu d'aussi beau! À chaque fois! On eût dit que Jékuthiel arrivait à saisir l'instant et à le traduire en musique aussi facilement qu'un érudit aurait pu lire dans un livre. Tomass était fier de sa propre habileté à manier les kerpans. À ce chapitre, il se considérait un peu comme un artiste. Mais jamais il n'aurait osé imaginer qu'on puisse maîtriser un art à ce point. Les longs doigts osseux de Jékuthiel faisaient chanter sa flûte et vibrer les cordes de son luth avec une virtuosité plus grande que ce que Tomass eut cru possible.

Ce fut au terme d'une improvisation sobre et délicieuse à la fois que Tomass osa ouvrir la discussion.

— Tu joues divinement, Jékuthiel. Est-ce ainsi que tu t'es sorti des griffes de la fée?

Jékuthiel sourit.

— Je n'ai pas eu à me libérer de Filigriane. Je suis allé vers elle de mon plein gré, affirma-t-il à l'air étonné de son interlocuteur. Je connais cette fée pour lui avoir rendu visite à maintes occasions.

— Tu fréquentes les fées? Voilà de quoi te faire une réputation peu enviable.

— Tiens ta langue au sujet des fées, et je tairai le secret de ce que tu portes à ton cou, badina-t-il. Au demeurant, sache que, quand on sait les prendre, les fées sont de très douces compagnes.

— Sans blague? Vraiment? Tu...

— Mais, évidemment! Ne nous as-tu point vus, dans les bras l'un de l'autre? Avais-je l'air malheureux? Filigriane ne résiste jamais à ma musique. Alors, autant en profiter, non?

— J'imagine, répondit un Tomass perplexe. Pourquoi pas, après tout? Les fées abusent bien les voyageurs imprudents.

— N'est-ce pas? Et tu en sais quelque chose, plaisanta Jékuthiel.

Un peu plus loin, lorsque Tomass eut fini de digérer les gentils sarcasmes de son compagnon, il osa une autre question.

— Où as-tu appris à jouer ainsi? Si j'étais aussi fine lame que tu es virtuose...

— Tu n'aurais pas assez d'une vie pour y arriver, Anghelis.

— Tu es un hybride, n'est-ce pas? devina Tomass.

— Au moins, tu n'as pas dit bâtard, confirma Jékuthiel. Cela dit, je préfère semi-alf.

— C'est plus... mélodieux, ironisa Tomass.

— Non, c'est moins méprisant.

— Et tu viens d'où?

— De partout et de nulle part. Les Sept Royaumes sont mon domaine. Je les connais mieux que quiconque et, pourtant, ne suis chez moi dans aucun d'eux. Je suis en exil depuis toujours, d'une certaine façon. Un peu comme toi dorénavant, je suppose.

— Je ne suis pas en exil ! se rebiffa Tomass.

— Ah bon. Si tu le dis. Je croyais pourtant que ceux qui…

— Rien du tout ! J'en aurai terminé avec tout ça avant longtemps. Je n'ai pas l'intention de quitter le Mythill !

— Je serais curieux de savoir comment tu comptes t'y prendre. Pour ma part, j'ai quelques contacts dans les Sept Royaumes. Si jamais l'envie te prenait d'explorer pareilles possibilités, je pourrais…

— Ça ne sera pas nécessaire, je te remercie, conclut Tomass.

Jékuthiel n'avait pas tort, et Tomass, au fond de lui, le savait parfaitement. Tôt ou tard, il faudrait bien regarder la situation en face. Que ferait-il si Brigga n'était pas en mesure de lui venir en aide ? Et encore fallait-il la trouver.

Les deux voyageurs ne conversèrent pas davantage jusqu'à ce que l'heure de camper soit arrivée. Tout le jour durant, ils arpentèrent l'unique sentier qui serpentait entre les collines, en direction de l'ouest. Pour éviter de trop souiller leurs bottes dans la boue printanière, ils abandonnèrent parfois le tracé de la route au profit de la roche dure des collines.

Ce n'est qu'au terme d'une route longue et éreintante qu'ils firent halte pour allumer un feu, à l'écart du chemin. Jékuthiel partagea ses provisions avec Tomass, qui ne les accepta qu'après avoir promis de payer cette dette.

Assis contre un arbre, à la lueur de flammes timides, Tomass sortit de sous sa chemise le triste pendentif qui abritait son fléau. Il le fit tourner entre ses doigts un instant. Au centre du cercle d'étain était encastré un petit écrin d'argent. À l'intérieur se cachait le fléau. Tomass n'avait encore jamais osé regarder la sphère, effrayé par ce qu'il y découvrirait. Ce soir-là, par contre, la curiosité le taraudait.

« Si tu veux te libérer de ce mal, il te faudra bien lui faire face, non ? Alors qu'est-ce que c'est que de jeter un œil ? Ça ne peut pas être pire que d'avoir une autre vision ! » se dit-il.

Ce fut d'abord vers Jékuthiel que Tomass jeta un œil. Le ménestrel était occupé à colliger quelques notes sur un volumen.

« Vas-y ! » se convainquit enfin Tomass.

Les doigts tremblants, il ouvrit délicatement le boîtier d'argent. On disait que seules les Nornes pouvaient rompre le charme et déterminer si le châtiment devait ou non être infligé. Il était donc peu probable que la sphère puisse tout bonnement tomber et se fracasser sur un caillou. Tomass ne souhaitait pas pour autant tenter l'expérience. Rien ne garantissait qu'elle soit si solide, après tout, et il n'avait pas, lui, le pouvoir de se soustraire au châtiment qu'elle renfermait.

« Pourquoi la conserver dans un écrin si ce n'est pour la protéger ? »

Tomass hésita, mais il avait déjà entrouvert le boîtier. C'est en retenant son souffle qu'il l'ouvrit entièrement. Il était là, sous ses yeux : son fléau.

Tomass poussa un soupir. L'objet était bien simple, en vérité. Une bille de cristal de la grosseur d'une prune et d'un noir profond à la surface de laquelle se miraient les flammes dansantes de leur feu. Mais il y avait autre chose. Une substance vaporeuse, informe, dansait langoureusement dans la sphère. Était-ce là son mal ? Sa faute ? Qu'y avait-il réellement dans son fléau ? Les souvenirs, les remords étaient intangibles, lui semblait-il. Comment pouvait-on les emprisonner dans un objet ? Tomass se disait que si l'essence de sa faute – une faute qu'il ne comprenait toujours pas – se trouvait désormais dans le fléau, il devrait s'en sentir libéré. Or, ce n'était manifestement pas le cas. Les reproches des siens et la sentence le taraudaient plus que jamais. Peut-être le fléau n'était-il, en fin de compte, qu'un prétexte à réflexion, une occasion de repentir pour le damné. Peut-être le châtiment venait-il des Nornes, un mauvais sort lancé par les dames blanches à l'expiration du délai. Peut-être n'y avait-il rien dans la bille qu'une illusion. Peut-être aussi que le châtiment s'y trouvait, sous la forme d'une magie puissante libérée à la rupture du fléau. Comme hypnotisé par l'étrange objet, Tomass se perdit vite en rêveries.

— N'empêche…

— N'empêche quoi? demanda Tomass en rangeant prestement l'objet honni.

— Je ne vois pas ce que l'on pourrait trouver d'autre aux Havres sinon un navire en partance pour un autre royaume. Et toi qui dis que tu n'as pas l'intention de quitter le Mythill…

— Cela ne regarde que moi, l'ami.

— Oui, certes. À moins que…

— À moins que quoi?

— À moins que tu cherches Brigga.

— Brigga? feignit Tomass. Qui est-ce?

— La sorcière de la Lordogne.

— Tu connais la sorcière de la Lordogne?

— Pas aussi bien que je connais Filigriane, admit Jékuthiel, mais je connais une demi-douzaine de chansons à son sujet. Il y a bien une vingtaine de contes et de légendes la concernant, dans la seule région des Havres.

— Et que dit-on à son sujet? s'informa Tomass.

— Oh! Maintes choses, en vérité. Mais rien qui soit salutaire pour un damné.

— Qu'est-ce que tu veux dire?

— Qu'elle n'est pas assez puissante pour libérer qui que ce soit de son fléau.

— C'est l'évidence même! Personne n'a un tel pouvoir. Seules les Nornes sont capables de rompre le charme. C'est bien connu.

— Oh! N'en sois pas si sûr, Anghelis, le mit en garde Jékuthiel. Quel que soit le pouvoir des Nornes, je ne suis pas sûr qu'il rivalise avec celui des magiarks, quelque diminué que le leur puisse être. Et il y a aujourd'hui dans les Sept Royaumes d'autres mages puissants.

— Peut-être bien, mais j'ai du mal à croire que l'on puisse surpasser le pouvoir des Nornes ou des magiarks. Et comme j'imagine mal les magiarks se pencher sur le sort d'un pauvre carouge déchu, je ne vois guère d'autre option que celle de faire face à mon fléau devant les dames blanches.

— Et pourtant, insinua Jékuthiel, je crois que tu surestimes la puissance de ces sorcières…

— Tu blasphèmes! objecta Tomass.

— Je blasphème? s'étonna Jékuthiel. Ne sont-ce pas les dames blanches qui sont responsables de ton tourment? Et tu les défends?

— Les Nornes sont justes et clairvoyantes!

Si je fais l'objet de leur courroux, c'est qu'elles ont une bonne raison !

— Ma foi, tu es un curieux personnage, Tomass Anghelis ! À ta place, je ne vois pas ce qui me retiendrait de les maudire.

— Tu n'es pas à ma place.

— Non, c'est vrai, quoique la mienne ne soit pas toujours enviable non plus.

— Oh ! Tu fais bien pitié, monsieur le ménestrel le plus fameux du monde !

— Que sais-tu de mon histoire ? Désolé de faire fondre tes chimères, Anghelis, mais les exemples de rédemption des porteurs de fléau sont presque aussi rares que paroles de fomor. Je ne sais pas ce que tu mijotes, mais il faudra bien que tu ouvres les yeux. Tes chances de pouvoir te présenter devant les Nornes et de survivre à l'épreuve sont minuscules. Avant longtemps, tu en seras réduit à quitter le Mythill et à ne jamais y remettre les pieds. L'exil ! Crois-moi, Anghelis, tu ne sais pas encore ce que c'est que d'être l'éternel étranger. Voilà le sort qui est le mien depuis près de cent ans. Et je parle couramment toutes les langues des Sept Royaumes, moi. Est-ce ton cas ? Comment survivras-tu ? Tu n'as même pas su te trouver des vivres dans la capitale de ton propre royaume, celui-là même que tu as défendu et qui t'a renié ! Oh ! Tu sauras bien assez tôt ce que c'est que la route éternelle ! Et je n'ai même pas commencé à te parler de mon véritable tourment.

Sur ces mots, Jékuthiel se leva et s'éloigna du feu. Tomass ne répondit rien. On lui avait cloué le bec. Obnubilé par son propre sort, jamais il ne s'était soucié de celui de son frivole compagnon. Dans la pénombre, le ménestrel avait sorti son luth et jouait. Tomass eût aimé cuver tranquillement ses émotions, mais la musique du ménestrel était une expression si éloquente de sa colère que Tomass s'en sentit imprégné et vit son malaise exacerbé jusqu'à ce qu'enfin le luth se tût.

Le lendemain, les deux compères reprirent la route en évitant les sujets trop délicats. Ils marchèrent d'un bon pas et couvrirent une bonne distance. Il leur était cependant évident à tous les deux qu'ils n'atteindraient pas les premiers bourgs des Havres avant la nuit. Ils voyaient poindre la forêt de l'ouest. Ils l'atteindraient avant l'obscurité.

Tomass avait passé maintes et maintes nuits en pleine nature auparavant. Il connaissait l'influence de la pleine lune sur les êtres de l'Ombre. Toutefois, passer une pleine lune dans les bois entouré de carouges bien entraînés était une chose. Le faire en compagnie d'un ménestrel et avec pour seule arme un poignard en était une autre. D'un commun accord, les deux compères décidèrent d'infléchir leur trajectoire vers le nord-ouest. Tomass espérait y trouver l'une ou l'autre des quelques charbonnières de la région. Jékuthiel et lui pourraient peut-être y négocier un gîte pour la nuit.

À la tombée du jour, guidés par une volute de fumée grise, ils dénichèrent en effet une charbonnière. Ils trouvèrent la meule dans une éclaircie. Quelques charbonniers s'affairaient à en étanchéifier le recouvrement de terre. Un autre, debout sur la meule, contrôlait attentivement la délicate combustion. Sous ce monticule terreux couvait un feu patient qui donnerait à terme un lot de bon charbon de bois.

Les charbonnières importantes comptaient plusieurs meules en activité simultanément. Contrôler la combustion nécessitait une attention continue à défaut de quoi le feu s'étouffait. Au contraire, les meules trop ventilées s'embrasaient et l'on n'obtenait ainsi aucune houille digne de ce nom. Dans la clairière où s'affairaient les charbonniers, Tomass ne compta qu'une seule meule active.

À peine Tomass et Jékuthiel furent-ils en vue que deux miliciens se hâtèrent dans leur direction.

— Holà! les mit en garde un colosse en accourant vers eux.

Les deux compères ralentirent la cadence. En un instant, les deux hommes d'armes les rejoignirent, brandissant leur lame de façon hésitante. Jékuthiel échangea un regard complice avec Tomass: le ménestrel se chargerait de parlementer.

— Messieurs, faites-nous la grâce de ne point nous menacer de la sorte! Nous ne cherchons rien qui le justifie.

— Qu'est-ce que vous voulez? demanda le plus hardi des deux miliciens.

— Qu'un gîte et de la compagnie. Nous ne saurions être aux Havres avant la nuit, et nous préférerions la compagnie de bonnes gens à une autre nuit à la belle étoile.

— Vous n'avez rien à faire ici. Ce n'est pas une auberge!

— Du calme, Poilu! s'interposa un autre charbonnier.

S'essuyant les mains sur un tablier sale, un homme plus jeune s'avançait à leur rencontre. Il ajouta:

— Tu vois bien que ce sont des voyageurs. Et celui-là est un saltimbanque…

— Ménestrel, je vous prie.

— Comme tu veux, l'ami. En attendant, je ne crois pas que ces deux-là soient très dangereux, Poilu. Quant à moi, j'cracherais pas sur un peu de bon temps c'te nuit. Moi, c'est Laflèche, dit-il en tendant une main amicale que Jékuthiel puis Tomass saisirent volontiers.

— En ce qui me concerne, dit un charbonnier plus âgé, j'suis pas sûr que ce soit une bonne idée, Laflèche. J'ai jamais trop fait confiance aux vagabonds. C'est quand même étrange que ces deux-là nous arrivent avec la pleine lune. Y aurait du malin là-dessous que j'serais pas surpris.

— C'est comme tu veux, Briquet, s'interposa un autre charbonnier. Moi j'veux bien te laisser ma place sur la meule c'te nuit, si leur air te r'vient pas.

— Pas de chance, Coudvent, c'est toi qui t'y colles à soir, peu importe que ces deux oiseaux-là soient des nôtres ou non.

Devant deux miliciens qui se sentaient de plus en plus inutiles, les charbonniers discutaient ferme. Le dernier mot appartenait évidemment au chef de camp, un certain Balbuzard, que les charbonniers ne se pressaient pas de saisir de l'affaire. Quelle que fût leur opinion à l'égard des deux voyageurs, leur présence leur offrait une pause qu'aucun ne souhaitait voir écourtée. Elle le fut pourtant.

— Hé, Briquet! Elle fume pas un peu trop ta meule?

— Eh merde!

Au camp, il ne fallut pas longtemps à Balbuzard pour conclure l'affaire. L'homme d'âge mûr au visage buriné jugea que ses charbonniers avaient bien mérité un peu de divertissement. Tomass et Jékuthiel pouvaient rester. Ils consommeraient leur propre nourriture, mais ils dormiraient dans un lit. En échange, Jékuthiel en était quitte pour faire étalage de son talent.

La nuit tombée, les charbonniers se chauffaient les bottes près du poêle à bois en mangeant de bon appétit.

— Hé, le musicien! J'veux ben te donner ma ration de c'te bon lard si t'arrives à surpasser not'vieux Balbuzard au violon!

L'offre était bien trop tentante, tant pour le lard que pour l'occasion de montrer de quoi il était capable, pour que Jékuthiel refusât. Balbuzard s'en fut prestement chercher son instrument. Sans autre préambule, il attaqua une gigue endiablée. Encouragé par des charbonniers enthousiastes, le violoneux redoublait d'ardeur devant un ménestrel peu impressionné. Quand la gigue prit fin dans un tonnerre de rires et d'applaudissements, le ménestrel saisit l'instrument qu'on lui tendait. Comme pour ajouter l'insulte à l'audace, il prit la peine d'accorder le piteux violon. Jékuthiel s'assit. Il posa l'instrument sur son épaule, ferma les yeux et se mit à taper des pieds, lentement d'abord, puis avec une cadence qui s'accéléra. Il attaqua à son tour une gigue toute particulière, mais qui conquit aussitôt les charbonniers. Amusé et séduit également, Tomass souriait devant le spectacle que son compagnon leur offrait à tous. Assis dans l'ombre, il savourait cet instant de plaisir simple et honnête.

Très vite, le charbonnier qui avait lancé le défi dut bien admettre qu'il avait perdu son pari et fit glisser son écuelle de lard vers le ménestrel. Jékuthiel n'y prêta aucune attention. Ces gens n'avaient encore rien vu. Le rythme de la gigue devint bientôt frénétique. Les charbonniers furent emportés par la danse. Quoique déçus de ne point pouvoir compter de femmes parmi eux, ils dansèrent néanmoins avec beaucoup d'entrain jusqu'à ce qu'ils tombent tous d'épuisement. Lorsque la gigue fut terminée, les charbonniers acclamèrent le ménestrel avec ce qui leur restait de souffle.

— Eh bien, Briquet, avoua l'un des

charbonniers, si c'est le malin qui le fait jouer comme ça, j'veux ben me damner!

Après s'être léché les doigts du délicieux lard pleinement mérité, Jékuthiel leur raconta quelques légendes grivoises qui drainèrent vite toute l'attention vers lui.

Soudain, Tomass se leva. Jékuthiel s'interrompit aussitôt.

— Y a-t-il encore quelqu'un dehors? demanda Tomass.

— Ben… Oui! répondit Balbuzard. La meule doit être surveillée nuit et jour. Y a Coudvent pis Poilu…

D'un geste vif, Jékuthiel retira l'épée du fourreau d'un des hommes d'armes et la lança dans les mains de Tomass. Tous les charbonniers se levèrent, médusés.

— Je croyais les charbonniers plus consciencieux. Quelle imprudence d'avoir une meule à surveiller par une nuit de pleine lune! les gronda Tomass en filant hors du camp.

— On n'a pas toujours le choix, s'excusa Balbuzard à Jékuthiel. Les pluies et… Mais qu'est-ce qu'il y a? Et puis de quoi y s'mêle?

— Faites rappeler vos gens, lui intima Jékuthiel, en emboîtant le pas à son compagnon.

Ce ne fut que dehors que Tomass réalisa les conséquences de son empressement. L'épée était grossière et mal balancée. Était-elle seulement affûtée? Ça ne valait pas un bon kerpan. Il se pressa néanmoins vers la meule. Malgré l'obscurité, il n'eut aucune difficulté à rejoindre le sentier qui menait vers l'éclaircie. Du coin de l'œil, il vit Jékuthiel qui le suivait de loin, accompagné des plus hardis des charbonniers.

Tomass avait une fois de plus senti la présence du malin. Il ne faisait plus partie de l'ordre carouge, mais il avait encore la vocation. Protéger les gens du Mythill, tel était son devoir. Il s'était donc précipité au-devant du danger sans trop se poser de questions. Lorsqu'il se pointa dans la clairière, Poilu vint de nouveau à sa rencontre.

— Mais, qu'est-ce tu fous ici, toi?

— Dis à Coudvent de s'éloigner de la meule!

— Non, mais, ça va pas la tête? Et puis pour qui tu te prends? s'indigna Poilu en dégainant son épée.

L'instant d'après, Poilu était désarmé. Tomass, maintenant armé de deux épées, le remercia de son attention par un coup de garde sur le nez.

— Si t'aides pas, au moins, ne nuis pas, murmura Tomass. Hé! Coudvent! Ne reste pas là!

Bien entendu, le jeune homme ne comprit

pas pourquoi on lui demandait de quitter son poste. Il ne bougea pas. Tomass marcha dans la direction de la meule, prudemment d'abord, puis prestement. Coudvent venait de laisser tomber le bâton avec lequel il contrôlait la combustion et ne semblait pas vouloir le ramasser. Il s'était figé.

« Un loup pourpre ! » conclut Tomass.

Lorsqu'il arriva près de la meule, Coudvent, n'en pouvant plus, s'enfuit en direction du sentier.

— Non ! Ne bouge pas !

Trop tard. Du coin de l'œil, Tomass vit la bête se ruer sur le charbonnier. Laissant tomber les deux épées, le Garou brandit son arc et décocha une flèche en direction du loup avec une rapidité qui l'étonna lui-même. Le monstre la prit en pleine cuisse et trébucha. Tomass se mit à crier pour attirer l'attention de la bête. Gagné ! Le loup changea de cible : il fonçait maintenant vers lui. Pas le temps pour un second tir. Tomass laissa son arc, mais il récupéra les épées et grimpa sur la meule. Il y planta une des armes et saisit une poignée de cendres qu'il jeta aux yeux du monstre. La vue voilée, le loup ne ralentit pas pour autant sa cadence, de sorte que Tomass ne put reprendre son arme. Il assena néanmoins un puissant coup au flanc du loup pourpre avec l'autre épée.

« J'aurais plus de chance de l'éventrer avec une rame ! » pesta Tomass.

Les deux protagonistes valsèrent ainsi sur la meule quelques instants. Quoique piètrement armé, Tomass se sentait particulièrement inspiré et tenait son adversaire en échec avec une aisance surprenante devant les yeux ébahis des charbonniers présents. Lorsque l'occasion de saisir l'autre épée se pointa enfin, Tomass la retira de la meule. De l'ouverture laissée par la lame s'échappa une fumée brûlante que le loup se prit en pleine gueule.

— Attention ! hurla Balbuzard. Si la prise d'air est trop forte, tout va brûler ! Fiche le camp !

Brillante idée que celle-là ! Si une épée ébréchée ne savait percer le cuir du monstre, elle saurait par contre éventrer la meule. Esquivant les griffes de son adversaire avec élégance, Tomass lacéra la surface de la meule devant lui, tout en reculant. Surpris par le brasier, le loup se braqua. Tomass en profita pour lui enfoncer une de ses armes dans le poitrail. Ce fut à demi réussi. Le coup ne porta pas profondément, mais suffit à tenir le loup en échec sur la meule alors que Tomass sautait à terre.

Le loup se débattit. En s'ébrouant, il éventra davantage la meule. La combustion s'y accéléra furieusement, et le tout s'embrasa. Le monstre de l'Ombre s'immola sous les yeux satisfaits de Tomass. Quelques instants plus tard, à moitié consumé, le loup sortit néanmoins du brasier. Il tenta un grognement qui s'étouffa dans sa gorge. Tomass fit tournoyer une de ses armes et lui cassa une patte. De l'autre, il porta ensuite le coup fatal au monstre affalé devant lui.

Tomass se retourna alors vers les charbonniers. Il vit Jékuthiel ranger sa flûte. Un sourire aux lèvres, le ménestrel l'accueillit de quelques applaudissements.

— Du grand art! Vraiment!

— Ça t'amuse, toi? lui jeta Tomass, insulté par tant de désinvolture.

Coudvent les avait précédés au camp. Lorsque Jékuthiel et Tomass rentrèrent, ils n'obtinrent pas l'accueil escompté. Certes, certains charbonniers étaient béats d'admiration, mais d'autres, Briquet en tête, les rendaient responsables du gâchis de cette nuit. Lorsque Balbuzard vint vers eux avec leur paquetage, les deux compagnons comprirent de suite.

— C'est comme ça que vous nous remerciez? fulmina Jékuthiel.

— Je suis désolé, dit un Balbuzard penaud.

— Mais il a sauvé la vie de votre Coudvent, bande d'ingrats!

— Les écoute pas, Balbuzard! Ce sont eux qui ont amené la malebête! Y nous ont fichu en l'air not'meule!

— C'est vrai, ça! Comment on va faire, maintenant? Qu'est-ce qu'on va pouvoir récupérer de la meule? On n'aura presque rien pour de la houille pourrie!

Pour toute réponse, Tomass les fustigea du regard. Il prit son paquetage et cracha par terre devant Balbuzard. Jékuthiel fit de même.

— Hé! les héla Poilu. C'est mon épée, ça!

— Eh bien, viens la chercher, lui rétorqua Tomass.

Les deux compagnons passèrent leur chemin.

5

Ombres sur la Lordogne

La nuit avait été brève, et le sommeil fugace. Se sachant près des Havres, les deux hommes prirent la route un peu plus tard que d'ordinaire, route qu'ils parcoururent d'un pas fatigué. Ils atteignirent néanmoins la côte à la mi-journée. Le spectacle qui s'offrit alors à leurs yeux mit un peu de chaleur dans leur cœur las.

Le Troisième Royaume semblait s'agenouiller devant la Lordogne, large rivière aux eaux calmes et profondes d'un bleu tout aussi profond. En amont, au nord, grondaient les Murs-Torrents, majestueuses chutes d'eau dont le chant sourd se réverbérait jusqu'à leurs oreilles. À leurs pieds s'étendait, la cité des Havres et ses quais où s'agglutinaient les esquifs des pêcheurs qui rentraient avec leurs prises. La route bifurquait vers le sud et se lovait dans la falaise entre les maisons troglodytiques. Un magnifique soleil printanier caressait à peine les falaises franc ouest de la baie et offrait à la cité des Havres sa première lumière directe de la journée. Cette douce lumière réchauffait les pavés ocre et faisait briller les pommiers en fleurs. Elle dévalait maintenant la falaise et semblait donner vie à toute la baie. Les gens sortaient de la terre et convergeaient vers les quais.

C'est au cœur de cette effervescence du mijour que Tomass et Jékuthiel arpentèrent la route de la baie des Havres, passant devant les fontaines, les trois paliers de treuils à ures, l'auberge suspendue, pour atteindre la rue des quais. Se frayant un chemin à travers les gens qui s'y pressaient, Tomass semblait chercher quelque chose ou quelqu'un, oubliant presque le ménestrel qui peinait à le suivre. Lorsque enfin il trouva celui qu'il cherchait, Tomass l'interpella :

— Tout ce poisson ne m'a pas l'air très frais, Letarignac !

— Mais c'est qu'il lèverait le nez sur les meilleures prises de la saison, le blanc-bec ! répondit le pêcheur à l'endroit de Tomass.

Piqué par la raillerie, le pêcheur sauta sur le quai et toisa le sourire narquois qui le narguait. Il fronça ensuite des sourcils incrédules. Reconnaissant enfin l'auteur de la plaisanterie, il troqua sa mine insultée pour un large sourire et s'en alla de ce pas offrir une accolade bien sentie à Tomass.

— Ben ça alors! Si c'est pas le petit Anghelis? Mais qu'est-ce que tu fais ici? Tu es vêtu comme un lépreux à cliquette, ma parole!

— Je suis heureux de te voir aussi, Miloch, répondit un Tomass sincère. Auras-tu quelques minutes à me consacrer?

— Tout le temps que tu voudras, plus tard cet après-midi, mon ami. Mais pour l'heure…

— Oui, bien sûr! Va, je t'attendrai sur la place.

— Ben, ça alors! dit encore le pêcheur pour lui-même, alors qu'il s'en retournait à ses affaires de poissons.

Tomass fit en sorte de se soustraire à l'agitation des quais. Il rejoignit Jékuthiel.

— Qui est cet homme?

— Miloch Letarignac, un pêcheur et un vieil ami de ma famille, ou du moins ce qu'il m'en reste.

La cité des Havres était construite presque entièrement à même les falaises qui ceinturaient la baie. Les parois rocheuses en demi-lune faisaient rempart à l'air salin du large poussé par les vents soufflant du sud depuis la mer des Preux. Ainsi protégées des tumultes du large, les eaux très profondes de la baie étaient calmes. L'humidité que la fraîcheur du crépuscule y accumulait formait parfois un épais brouillard que seul le chaud soleil de midi arrivait à déloger.

Profitant de la pause qui s'imposait à lui, Tomass partageait un bout de saucisson sec avec Jékuthiel, assis près d'une fontaine. Juste assez loin des quais pour ne pas déranger les gens qui s'y affairaient, et juste assez mêlés à la foule pour ne pas trop attirer l'attention, ils savouraient cet instant. Tomass humait avec plaisir les odeurs du port et des poissons frais sur les quais en se laissant caresser par les embruns et les doux rayons d'un soleil qui donnait l'impression d'avoir enfin l'intention d'en finir avec l'hiver. Cela lui rappelait son enfance, avant que ses parents s'installent à Melkill. Il laissait ses yeux voguer vers l'ouest, où il devinait l'île des Sorciers, par-delà la pointe des falaises derrière lesquelles grondaient les Murs-Torrents.

Jékuthiel aussi paraissait profiter de l'instant. Comme s'il avait deviné l'état d'esprit de Tomass, il ne chercha pas à engager la conversation. Il ne joua pas non plus de son instrument. Les échanges entre les deux hommes se limitèrent à quelques remarques et un peu de charcuterie.

Quelques heures plus tard, Letarignac parut sur la rue des quais. C'était un homme costaud, barbu, aux cheveux défaits, qui comptait bien une bonne quarantaine d'années d'expérience à son actif. Il clopinait vigoureusement, s'essuyant les mains sur son tablier en dispensant quelques consignes à ceux qui s'occuperaient du reste de sa pêche de la journée.

— Alors? La pêche a été bonne aujourd'hui, Miloch? l'entreprit Tomass.

— Pas mal, oui. C'est la première bonne journée de l'année. On a enfin fait de bonnes prises. De quoi satisfaire les séchoirs pour un temps. On n'avait pas grand-chose pour les marchands de Melkill. Et toi, Tomass? demanda-t-il enfin. Quel bon vent t'amène par ici?

— Je ne sais pas trop si c'est un bon vent, Miloch, avoua-t-il devant le regard soucieux du pêcheur. Quoi qu'il en soit, j'aurai besoin de ton aide, si tu le veux bien.

— Ben sûr que je veux! Ça me fait trop plaisir de te voir. Tu vas venir à la maison ce soir, mon gars.

— J'avais pensé à l'auberge de la falaise, en fait...

— Pas question! C'est tout décidé, tu viens chez moi ce soir. Tu me raconteras tes histoires autour d'une bonne bouteille de Courroux.

— Tu bois encore de ce tord-boyaux? le taquina Tomass. C'est bon. Nous y serons, si tu nous prépares ta fameuse soupe de poisson. D'ailleurs, voici Jékuthiel, un ménestrel qui voyage avec moi depuis quelques jours.

Poignée de main polie.

— Alors, c'est bon. Je vais voir ce que je peux faire pour la soupe. En attendant, j'ai les mains poisseuses et je sens le vieux mérou. Et puis j'ai encore à faire. On se voit à la maison à la tombée du jour. Tu sais où c'est.

Tomass profita du reste de l'après-midi et du fait que son or valait encore quelque chose aux Havres pour faire des emplettes. Il trouva à remplacer ses bottes, il acheta une ou deux nouvelles chemises et confia à des doigts agiles les trous dans son tabard. Jékuthiel déambula sur les quais un moment, mais finit par conter fleurette à deux ou trois filles de joie. Avant de pouvoir être égratignées, les pauvresses furent tirées des griffes du ménestrel par l'intervention de Tomass qui enjoignit à Jékuthiel de le suivre, à défaut de quoi il devrait se passer de la fameuse soupe de poisson de Miloch Letarignac. L'envie d'un repas chaud surpassa celui de la chair ce jour-là.

Jékuthiel avoua être déjà passé maintes fois par les Havres, mais jamais auparavant

il n'était entré dans une des maisons troglodytiques de la falaise de la cité. Celle du père
Letarignac était modeste, mais bien tenue. Sa
femme était morte depuis plusieurs années.
C'était sa fille Lilith qui tenait maison depuis.
Après un repas copieux et très animé par les
histoires du ménestrel, Lilith dansa sur les
rythmes endiablés de Jékuthiel, rivant sur lui
des yeux mielleux. Assis en retrait derrière
les quelques invités et voisins qui s'étaient
joints à la fête improvisée, Tomass lorgnait la
jolie rousse aux yeux verts qui s'était si souvent jouée de ses sentiments jadis. Letarignac
vint s'asseoir près de lui et lui tendit un verre
de Courroux. Tomass y trempa poliment les
lèvres.

— Ça ne te dérange pas, Miloch, de la voir
danser comme ça?

— Penses-tu? Qu'elle danse, la bougresse!
La musique de ton ami lui fait du bien. Son
homme est sur un navire qui s'en est allé chez
les Blafards, y a ben trois semaines déjà. Du
reste, ça me fait du bien à moi aussi d'la voir
comme ça. C'te musique-là nous réchauffe
le cœur. C'est bienvenu par les temps qui
courent.

— Qu'est-ce qu'ils ont les temps qui
courent? demanda Tomass d'un ton faus-
sement désinvolte.

— Bah! Je sais pas trop. Mais y s'trame quelque chose. Ça fait quelques semaines. Trois fois que les ures prennent panique!

— Voyons, Miloch, c'est pas la première fois que les bêtes s'ébrouent un peu.

— S'ébrouent un peu! Y a eu un mort, Tomass! Pis, y a pas que ça. Le temps. La pêche est pas bonne. J'sais ben que c'est pas la meilleure saison, mais quand même! Pis les ures à lait de la mère Morinac qui s'sont taries, comme ça, pendant dix bonnes journées! Non, Tomass, j'te le dis, moi, y s'trame quelque chose de pas net par ici.

Le pêcheur prit une bonne gorgée de Courroux.

— Puis toi, mon homme, qu'est-ce qui t'amène par ici? T'es pas avec les tiens à courir après Brigga?

— Il y a des carouges dans le coin? Qu'est-ce qu'ils ont contre Brigga?

— J'pensais que tu m'le dirais, en fait. Tout ce que je sais, c'est que ça a brassé dans le coin des Murs-Torrents y a quelques jours.

— Brigga rôde encore dans la vallée de la haute Lordogne?

— Pour sûr, qu'elle y rôde! En tout cas, elle y rôdait encore y a pas si longtemps, à ce qu'on dit.

Le vieux Milosh marqua une pause. Il but un

peu d'eau-de-vie. Il posa alors sur Tomass un regard presque suspicieux.

— Quoi? Qu'y a-t-il, Milosh?

— Ben, j'sais pas trop, Tomass. La dernière fois que je t'ai vu sans ta compagnie, t'étais en permission. Et plus détendu, y m'semble. Et là, à ton air, on dirait que tu t'intéresses à c'te maudite sorcière. Tu voulais mon aide, que tu m'as dit. Qu'est-ce que t'attends de moi au juste? Qu'est-ce qui s'passe, mon gars?

— C'est compliqué, Milosh. J'aurais seulement besoin que tu me dises où je pourrais me procurer un canot et des pagaies.

— Tu veux vraiment aller fouiner là toi aussi? Fais pas ça, mon gars. Il y rôde des morvelons, ces temps-ci. Puis elle… y faut s'en méfier. Si seulement vous lui aviez réglé son compte, toi pis tes carouges!

— Qu'est-ce qui te fait croire que je vais par là?

— Prends-moi pas pour une cervelle d'ure, Tomass. Où tu veux aller avec un canot? J'te vois pas faire du portage jusqu'aux landes de Namor. Alors, il te reste que la Lordogne. C'est ou ben pour elle, ou ben pour traverser chez les sorciers d'en face. Dans un cas comme dans l'autre, ça me dit rien qui vaille.

— T'en fais pas trop, Miloch. J'suis plus un gamin. Je sais ce que je fais.

— Si tu l'dis, mon gars, dit Letarignac en s'enfilant une autre rasade de Courroux. Je vais voir ce que je peux faire. T'as besoin de ça pour quand?

— Le plus tôt possible. Je ne pourrai pas m'éterniser ici.

— C'est pas moi qui vais te bouter dehors, Tomass. T'as l'air fatigué. Tu peux rester ici et te reposer tant que tu veux. Tu l'sais ça?

— Tu as toujours été un père pour moi, Miloch. Je t'en remercie. J'veux bien rester un jour ou deux, dit Tomass en s'enfilant à son tour une bonne gorgée du corrosif nectar.

Le repos ne dura finalement qu'une journée, une longue journée au cours de laquelle Tomass faillit tout révéler de sa situation à son hôte et ami. Il s'en retint de peur de couvrir d'opprobre Milosh et sa fille. Ou peut-être était-ce simplement par honte.

Le lendemain, Tomass fit des provisions. Il paya à fort prix l'affûtage de ses deux nouvelles épées. Pour son manteau, cependant, il dut se résigner à attendre encore un peu. En fin d'après-midi, alors qu'il rentrait chez Letarignac, il trouva celui-ci faisant les cent pas devant sa porte.

— Quand je te disais qu'il se tramait quelques drôleries! lui lança-t-il en voyant

Tomass arriver. Les chevaliers fantômes! Les fomors! Paraît qu'on en a vu rôder sur la route des landes! C'est pas un mauvais présage, ça, peut-être?

Sur ces entrefaites, Jékuthiel était arrivé. Il en avait entendu assez pour comprendre ce qui préoccupait le vieux pêcheur. Letarignac enchaîna:

— Paraît même qu'on aurait vu de la male-bête par en haut, du côté des charbonnières! Je sais ce que tu vas me dire: que ce sont des histoires… Qu'est-ce que vous manigancez, tous les deux? demanda le pêcheur, qui venait d'intercepter les regards complices de Tomass et Jékuthiel.

— Ça serait un peu long et compliqué, Miloch. Du reste, je ne suis même pas certain de pouvoir expliquer quoi que ce soit. Mais il vaut mieux pour toi que je ne traîne pas ici. Je vais partir demain à l'aube…

— Nous allons partir demain, rectifia Jékuthiel.

Tomass lui lança un curieux regard, mais s'adressa plutôt à Letarignac.

— J'aurais vraiment besoin de trouver un canot, Miloch. Dis-moi où…

— Laisse, Tomass. Je vais voir ce que je peux faire. Repose-toi une dernière nuit chez moi. Je cherche pas les embêtements, surtout pas par les temps qui courent, et je suis assez vieux et fou pour étouffer ma curiosité. Il y a des choses qu'il ne vaut mieux pas savoir. Mais je vais pas te mettre dehors, mon gars. Alors, rentre, rentrez tous les deux. Lilith va vous faire à dîner, leur dit le vieux Letarignac en les invitant d'une main dans le dos. Et toi, le barde, tu lui joueras encore quelque chose. Quelque chose de joyeux !

— Qu'est-ce que ça veut dire : NOUS partons demain ? chuchota Tomass à Jékuthiel lorsqu'ils furent seuls.

— Cela signifie que je ne vais pas m'incruster chez cet homme à qui je ne dois l'aimable hospitalité que parce que je t'accompagne. Qui plus est, pour une fois que la rumeur est fondée…

— Tu crois cette histoire de fomors ?

— Je crois surtout que le récit des événements chez les charbonniers aura tôt fait de retentir jusqu'ici. Il se trouve que je préfère m'éclipser avant qu'on ne me rende responsable de tous les maux dont ces pauvres gens se disent victimes. Qui plus est, un canot me serait bien utile à moi aussi.

— Eh bien trouve-t-en un! lui balança Tomass, surpris par l'audace du ménestrel.

— Allons, allons! Rien ne sert de s'énerver de la sorte. Admets que le portage ne sera que moins pénible si je t'accompagne. Et s'il y a bel et bien des fomors ou du loup pourpre dans le coin, on ne sera pas trop de deux!

— Ah oui? Pour que tu les terrorises d'un air de flûte?

L'irruption de Lilith interrompit leur discussion. Les deux se comportèrent en bons invités et remirent la discussion à plus tard. Tomass profita du fait que le ménestrel jouait pour leurs hôtes pour hâter ses préparatifs et gagner un peu de sommeil. Il pourrait plus facilement s'éclipser le lendemain et ainsi épargner à Letarignac une discussion avec Jékuthiel qui pourrait être disgracieuse.

La tentative échoua. Quoique Tomass fût matinal, le ménestrel le fut tout autant, frais comme une rose d'ailleurs. De son côté, Letarignac avait tenu promesse. Il avait procuré un superbe canot et des pagaies aux deux hommes. Il s'était même permis d'ajouter quelques provisions au baluchon de Tomass.

— Voilà, mon gars! Y me reste plus qu'à souhaiter que l'Archimage veille sur toi! Moi, j'ai mes poissons qui m'attendent.

— Mais, Miloch, c'est ton canot, ça! Je…
Écoute, je vais te l'acheter.

— Non, Tomass. Prends-le.

— Mais je ne sais pas quand je vais pouvoir
te le rapporter! Peut-être jamais…

— Allez, que j'te dis! Prends-le, mon gars, je
te l'offre. Un cadeau du vieux Miloch.

Les deux amis se firent l'accolade: mala-
droite, mais sincère étreinte.

— Merci de tout cœur, Miloch. J'ai une dette
envers toi, dit-il en jetant un regard à Jékuthiel.
Et je te jure que je vais tout faire pour la payer.

— Allez, Tomass. C'est juste un canot.

Miloch lui tapota la joue et s'en alla vers les
quais.

Juste un canot. Non. Ce n'était pas qu'un
canot, dans l'esprit de Tomass, déjà torturé par
un étrange mélange de sentiments. L'embarcation lui serait, certes, très utile, ce en quoi
un simple canot eût tout aussi bien fait l'affaire. Celui-là, par contre, n'était pas le fruit
de mains humaines: il était de fabrication
ondalve. Rigide et maniable, capable d'affronter les pires rapides, il était néanmoins d'une
étonnante légèreté. Le cadeau de Letarignac
n'était pas qu'un simple canot, et Tomass savait
combien il en avait coûté au pêcheur de s'en
départir.

L'embarcation était du genre de celles qu'un homme bien entraîné eût aisément pu porter seul. Quoi qu'il en soit, l'aide de Jékuthiel dans cette affaire rendit le portage plus léger. Léger pour le corps, à tout le moins, car l'esprit troublé de Tomass n'avait rien de léger. Jusqu'ici, il avait toujours envisagé la présence du ménestrel comme une anecdote – fort agréable, finalement – dans sa quête d'une issue honorable à son triste sort. Sa quête, quelque floue et obscure qu'elle fût à ses yeux, Tomass l'avait imaginée solitaire. L'appréhension des embûches qui promettaient d'être nombreuses l'angoissait. Par contre, il ne s'imaginait pas quérir quelque compagnie ou quémander de l'aide. L'ancien carouge, habitué à la force d'une équipe soudée et efficace, ne souffrirait pas la pitié. Il montrerait au Mythill de quoi il était capable. Il prouverait son innocence et sa valeur, ou mourrait dignement. Enfin, telle avait été son intention jusqu'ici. C'est ainsi que la logique eût voulu que l'anecdote Jékuthiel prît fin aux Havres. Or, pour l'heure, les deux hommes étaient toujours dans le même bateau. Et si, à l'évidence, leur route se séparerait sous peu alors que Jékuthiel débarquerait de l'autre côté de la Lordogne, chez les sorciers, Tomass était troublé à l'idée de se retrouver seul face à son destin. La veille encore, il cherchait à échapper à Jékuthiel. Mais maintenant, si l'idée de s'enticher d'un compagnon frivole et inconscient comme un ménestrel lui paraissait insensée, il se sentait honteux de la trouver rassurante.

À peine avaient-ils quitté la cité des Havres et amorcé la montée du sentier des Ifs que Jékuthiel demanda une pause pour ajuster une des sangles de son équipement. Tomass en profita pour s'humecter les lèvres de l'eau de sa gourde. Lorsque Jékuthiel eut terminé ses ajustements, il trouva Tomass figé, livide. La main sur la garde de son épée, il fit volte-face, mais ne trouva pas de quoi l'inquiéter.

— Qu'y a-t-il, Anghelis?

— C'est là.

— Là quoi?

— Ma vision, mon rêve, c'est aux Havres qu'elle se situe, dit Tomass comme s'il était en train de céder à la tentation de se libérer d'un lourd secret.

Voulant éviter de trop révéler ce qu'il valait peut-être mieux taire, il enjoignit à son compagnon de reprendre le portage. Le silence se fit toutefois rapidement pesant. Craignant qu'il ne soit rompu par une question embarrassante, Tomass pressa le jeu maladroitement.

— Qu'est-ce que tu vas faire chez les sorciers?

Le son de sa voix se réverbéra contre les parois du canot et offrit à la question une caisse de résonance qui surprit les deux hommes. Ils furent aussitôt pris d'un fou rire qui détendit l'atmosphère.

— Pourquoi veux-tu le savoir? demanda à son tour Jékuthiel.

— Oh, pour rien. C'est juste surprenant qu'on cherche à passer chez ceux d'en face.

— Et pourquoi cela? insista Jékuthiel qui devinait la réponse.

— La sorcellerie ne t'inquiète pas?

— À quelle sorcellerie fais-tu allusion?

— Tout le monde sait qu'ils pratiquent des rites occultes. On les voit parfois rôder, des torches à la main, en pleine nuit sur le rivage de l'île. Ils sont acoquinés avec ces horribles monstres, ces golems!

— Je ne vois pas en quoi cette sorcellerie-là est bien différente de celle de vos Nornes! répliqua Jékuthiel.

Il enchaîna de suite avant que Tomass ne s'insurge contre le blasphème:

— Du reste, sais-tu ce que les Morcenos pensent des Mythilliens?

— Je ne suis pas sûr de vouloir le savoir, admit Tomass.

— Que vous êtes des adorateurs des sorcières blanches dont les sbires, ces rôdeurs à bec d'oiseau qu'on appelle carouges, mangent les enfants.

Tomass ne put retenir un grand rire sonore qui emplit une fois de plus le canot qu'ils tenaient au-dessus de leur tête.

— C'est à peu de chose près leur réaction quand je leur raconte ce que vous dites à leur sujet ! conclut Jékuthiel.

Tomass ne riait plus.

Le sentier des Ifs montait sur plusieurs pas[1]. Il prenait fin là où commençait la seule route qui longeât la Lordogne et qui permît d'atteindre l'amont des Murs-Torrents. À cet endroit, le portage devenait plus corsé. Des semblants de marches avaient été taillés dans la falaise, mais le bruit assourdissant des chutes, la bruine qui mouillait le sol et la forte déclivité du chemin rendaient le portage ardu. Tomass et Jékuthiel grimpèrent prudemment et atteignirent néanmoins sans encombre le sommet des chutes. De là, le sentier suivait un escarpement rocheux qui longeait la rivière. À cette hauteur, le courant était trop fort pour qu'un aussi frêle esquif que le leur s'y risque sans plonger dans les chutes. Le portage se poursuivit donc jusqu'à ce que le sentier se love contre une Lordogne plus calme. Ce fut à cet endroit qu'ils mirent leur embarcation à l'eau.

---

1. Un pas correspond environ à un kilomètre.

Les deux hommes remontèrent la rivière en longeant la rive encore un bon bout de temps. Si l'eau près du rivage était suffisamment calme pour leurs coups de pagaie, au centre, le courant était encore trop fort pour qu'une traversée fût sûre. À mesure que le souffle des Murs-Torrents se faisait plus sourd et lointain, et les berges plus boisées, Tomass sentait l'heure du choix se rapprocher. Il ne savait pas où trouver la sorcière, mais on la disait rôder dans cette région. La possibilité qu'ils tombent sur son repaire se faisait de plus en plus grande à chaque coup de rame. De même, la traversée de la Lordogne devenait une option envisageable.

— Qu'est-ce qui se passe, Anghelis? Tu te perds en rêveries? À ce rythme, je ramerai bientôt seul!

L'intervention du ménestrel coupa net l'hésitation de Tomass. Celui-ci braqua le canot à gauche et amorça la traversée vers le Morcen.

— Mais, qu'est-ce que tu fais?

— Je traverse la rivière. Ne vas-tu pas chez les Morcenos?

— Et toi? Je croyais que tu allais voir Brigga?

Tomass, déculotté, fut complètement décontenancé.

— Allons, Anghelis! Ne le nie pas. Je ne sais pas trop ce qui te fait croire que la sorcière de la Lordogne puisse t'aider, mais c'est bien elle que tu cherches, non ?

— Qu'est-ce qui te fait croire que j'ai l'intention de t'y emmener ? répliqua Tomass, qui ne chercha pas à nier ce qui, de toute évidence, crevait les yeux de son interlocuteur.

— Oh ! Ne prends pas cet air, mon ami. Je n'ai pas besoin de ta permission pour aller où bon me semble ! Cela dit, depuis le temps que je chante ses légendes, j'ai bien envie de voir à quoi elle ressemble, la sorcière de la Lordogne.

— Écoute, Jékuthiel, j'ai bien aimé ta compagnie, mais nos routes se séparent ici. Je ne vais pas à une foire de saltimbanques. Ce que j'ai à faire est très important pour moi. Et cela ne te concerne pas.

— Certes, j'en conviens. Mais, puisque c'est d'une sorcière qu'il s'agit, peut-être serais-tu mieux avisé de t'aventurer plus avant en bonne compagnie. Pourquoi rejettes-tu mon aide ?

— En bonne compagnie ? Quelle aide comptes-tu m'apporter ?

— Ne t'ai-je pas sauvé la vie une fois déjà ?

— Si tu appelles tes fornications bestiales une façon de sauver la vie des gens, échappa Tomass. Je doute que Brigga soit la prochaine à partager ta couche, figure-toi !

Jékuthiel faillit s'emporter. Il ravala plutôt son fiel et répliqua sur un ton posé :

— Un simple merci eût été si aisé. Mais non. Tu es comme tous les autres, cracha-t-il. Jékuthiel le ménestrel, le saltimbanque ! Un vulgaire musicien ! À quoi pourrait-il être utile ? Il connaît les Sept Royaumes mieux que quiconque, mieux que les anciens de chez les Alfs. Mais, au demeurant, il n'est bon qu'à amuser les foules et à égayer les cours… Je regrette que tu me considères de la sorte, Tomass.

— Comment pourrait-il en être autrement ? Tu joues une musique divine, bien sûr, mais, à part jouer, que t'ai-je vu faire, sinon t'adonner à des frivolités ?

Touché. Pour une très rare fois dans sa vie, Jékuthiel ne trouva rien à dire. Peut-être ne voulut-il rien dire. Quoi qu'il en soit, lorsque Tomass reprit sa tentative de traversée de la Lordogne, Jékuthiel y opposa ses propres coups de rame.

— Il se peut, en effet, que je sois en partie responsable de l'image frivole et insouciante que tu t'es faite de moi. Et c'est sans doute l'image que tous ont de moi. Si seulement les gens savaient…

— Savaient quoi ?

— Un jour, peut-être, mais pas aujourd'hui, Anghelis. Cette discussion ne nous mène à rien sinon dans un courant que nous aurons bientôt du mal à remonter.

Était-ce la curiosité ou la pitié qui fit en sorte que Tomass rapprocha l'embarcation de la rive? Ou plutôt la prise de conscience qu'il valait mieux ne pas être seul à bivouaquer dans ces parages peu rassurants? Quoi qu'il en soit, Tomass n'opposa plus aucune résistance au fait de poursuivre la route vers l'antre de la sorcière en compagnie du ménestrel. Ils continuèrent donc leur remontée de la Lordogne alors que le soleil commençait à caresser la cime des arbres.

— Tu n'as rien senti? s'inquiéta soudain Jékuthiel.

Un peu jaloux que ses talents de carouge ne lui aient pas permis de réagir le premier, Tomass fit signe que non, mais se ravisa. Ils avaient doucement remonté le courant un bon moment depuis leur dernière discussion et, engourdi par ses préoccupations, Tomass ne prêtait plus guère attention à son environnement. Il planait pourtant maintenant une odeur de décomposition. Une odeur de plus en plus prégnante.

De retour à un état de veille plus alerte, Tomass repéra la source probable des effluves nauséabonds. Prudemment, les deux hommes menèrent leur embarcation vers l'endroit où s'affairaient quelques corbeaux. Les oiseaux délaissèrent bruyamment leur festin à l'approche du canot.

— Les restes d'un quelconque animal, conclut Jékuthiel.

— Non. Pas quelconque. C'est une patte de griffu. Il y a bien eu des carouges par ici. Et je doute que l'odeur n'émane que de ce morceau de charogne.

Soudain pressé par un mauvais pressentiment, Tomass imposa une cadence plus vive à son compagnon. Quelques coups de rame plus loin, il braqua le canot vers la rive.

— Pourquoi s'arrêter ici? s'inquiéta Jékuthiel.

— Le couvert des arbres semble moins dense. Et là, il y a ce qui me semble être un sentier, un accès à la rivière.

— Brigga?

Tomass ne répondit que par un haussement d'épaules. Avec maintes précautions, ils accostèrent près du prétendu sentier.

— Tu m'attends ici?

— Non, je viens aussi.

— Alors, ne laissons pas le canot et nos provisions trop en vue, chuchota Tomass.

Tomass eut rapidement la confirmation qu'on avait circulé depuis peu par le sentier. Quelques dizaines de coudées plus loin, ils débouchèrent sur une clairière. Tomass sut immédiatement qu'ils avaient trouvé ce qu'ils cherchaient lorsqu'il reconnut l'étrange hutte de la sorcière. La hutte en question avait été renversée avec tant de violence que les curieux troncs qui la soutenaient avaient été rompus.

La hutte n'était pas seule à avoir été renversée. Plusieurs arbres et arbustes étaient cassés, voire déracinés. La disposition du sable était étrange et ne permettait pas à Tomass de comprendre ce qui avait pu se passer en ce lieu.

— Je crois que j'ai trouvé tes carouges, fit la voix dégoûtée de Jékuthiel, qui rompit le silence.

Tomass accourut près du ménestrel qui se couvrait le nez et la bouche avec sa chemise. Il confirma la macabre découverte et ajouta au constat funeste la découverte des restes malodorants de la sorcière parmi ceux de quelques morvelons démembrés, ces colosses velus que plusieurs désignaient sous le vocable de trolls. Tomass ne put retenir quelques jurons bien sentis.

— Tu as une idée de ce qui a pu se passer ici ?

— Pas la moindre, avoua Tomass. Il n'y a pas de traces de loup pourpre, les morvelons ne sont pas assez futés pour inquiéter ni Brigga ni les carouges… Et ce qu'il reste des trolls suggère qu'ils ont eu leur compte… Par les morrighas, je ne m'explique pas… Brigga aurait-elle éveillé quelque mal des temps anciens?

— Destrier noir au caparaçon cornu, cavalier de fer noir vêtu, un fomor en maraude! récita Jékuthiel.

— Tu connais ces vers?

— Bien sûr! Ils sont de moi!

— Tu crois que ce sont les fomors? demanda Tomass, dubitatif.

— N'en a-t-on pas aperçu dans la région récemment? Qui d'autres, sinon ces cavaliers sombres, seraient capables de pareille diablerie?

Qui d'autres, en effet? Tomass n'aurait su le dire. Si l'odeur était toujours aussi prégnante, l'accoutumance et l'absence de danger imminent laissèrent la voie libre au retour en force des préoccupations de Tomass. Que faire maintenant? Brigga ne lui serait désormais d'aucun secours.

Pendant que Tomass, assis sur une pierre, massait son visage déconcerté, Jékuthiel s'affairait.

— Tiens, c'est pour toi! lança-t-il à son intention, en même temps que deux kerpans.

— Mais qu'est-ce que tu fais?

— Tu sais te servir de ça, non?

— Mais je ne suis plus carouge! Je n'ai pas le droit de… Et puis qu'est-ce que c'est que ça?

— Des herbes. Elles devaient appartenir à Brigga. Je les ai trouvées dans ce qu'il reste de sa hutte. Je ne les connais pas toutes… Tu y trouveras peut-être quelque chose qui puisse te servir.

— Mais qu'est-ce qui te prend ? Cela ne t'appartient pas ! lui fit remarquer Tomass en jetant les kerpans par terre.

— Je doute qu'elle vienne les réclamer. Pas plus que les carouges ces sabres.

— Je ne fais plus partie de l'ordre carouge ! Je ne suis plus autorisé à porter de telles armes. Et je ne vois pas ce qui t'autorise à te servir dans les affaires de Brigga.

— Pour quelqu'un qui faisait semblant de ne pas trop connaître la sorcière de la Lordogne, je trouve que tu prends vite son parti. Et puis après ? N'est-ce pas pour ses herbes et ses potions que tu es ici ? Elle ne t'aidera plus, maintenant, sinon en te permettant de te servir dans ses affaires.

— C'est contre mes principes.

— Tu es un drôle de bougre, Tomass Anghelis. Je ne vois pas ce qui te permet de me juger, en fin de compte. Tu es au moins aussi naïf que je suis frivole. Il est temps que tu voies la vérité en face, mon bonhomme ! Où iras-tu maintenant ? Plus personne ne t'accueillera, ton or ne vaudra plus rien nulle part en ce royaume avant longtemps. Les tiens t'ont traîné dans la boue, voué à une mort certaine et abandonné comme un chien galeux, et tu t'accroches à des principes stupides qui ne serviront bientôt que ta perte. Réveille-toi, Anghelis! Tu es en exil! C'est de ta survie qu'il est maintenant question. Il serait peut-être temps que tu envisages la situation avec moins de… frivolité.

Comme pour lui clouer le bec davantage, le ménestrel sortit sa flûte. Il n'eut pas le temps d'en jouer. Les deux hommes se figèrent.

— Tu l'as senti aussi?

— Un ivrogne borgne l'aurait senti, frissonna Jékuthiel.

Un très étrange souffle chaud avait parcouru la clairière. Un vent sinistre, inhabituel, se levait. Plus un son. Quelque chose de surnaturel se frayait un chemin vers la clairière. Ni Tomass ni Jékuthiel n'auraient pu dire pourquoi ni comment, mais ce qui s'approchait était d'une puissance saisissante! Un maléfice ancien animé d'un vif courroux, d'une soif de vengeance longtemps refoulée. De cette entité surnaturelle qui surgissait, ni l'un ni l'autre n'avaient envie de rester pour en connaître la nature. Saisis d'une peur soudaine et sincère, ils prirent leurs jambes à leur cou.

Tomass arriva le premier au canot, qu'il

remit à l'eau prestement. Jékuthiel le suivit, mais s'arrêta avant d'embarquer. Il fit demi-tour et repartit en sens inverse dans le sentier. Tomass n'osa pas s'enquérir de ses motifs tant il fut surpris. Il sauta à bord, luttant de tout son être contre l'envie de fuir, fuir aussi vite que possible ! Son cœur battait à tout rompre, ses tempes vibraient du flot de sang qui y vrombissait.

Un court instant plus tard, le ménestrel fit de nouveau irruption, les deux kerpans dans les mains. Il les jeta dans le canot et les y suivit. Sans se retourner, il pagaya fermement.

Si la peur et le courant les firent s'éloigner rapidement, le concert de coups de rames fut plutôt confus. Ils profitèrent bientôt d'un courant tumultueux qui menaçait de les ramener dangereusement près des Murs-Torrents.

— Il faut regagner la rive, suggéra Tomass. On ne pourra pas traverser la rivière ici !

Les deux hommes luttèrent contre le courant. Mais à peine avaient-ils repris la maîtrise de leur trajectoire que Jékuthiel déclama de nouveau ses sinistres vers :

— Destriers noirs au caparaçon cornu, cavaliers de fer noir vêtus, des fomors en maraude !

— Où ça ?

— Ils nous coupent la route ! cria Jékuthiel

pour couvrir le son grandissant du courant tumultueux qui jouait de plus belle avec leur embarcation.

Au loin, là où ils auraient voulu débarquer, se tenaient des fomors. Trois au moins, à en juger par le nombre de destriers. Ils étaient pris au piège! Impossible de traverser la rivière à cette hauteur. Devant eux, les fomors manigançaient quelque diablerie. Et derrière, ce qui s'ébrouait effrayait encore bien davantage le cœur de l'ex-carouge. Que faire? Accoster et fuir parmi les arbres? Tomass n'avait aucune envie de s'enfoncer à l'aveuglette dans une forêt hantée par les fomors, alors que le jour faisait place à une inquiétante obscurité. Craignant la rive où les attendait peut-être un autre péril, Tomass cherchait une solution entre quelques coups de pagaie hésitants.

— Ils arrivent! coupa Jékuthiel.

En effet, les sinistres destriers des fomors s'aventuraient lentement dans la Lordogne. Par un prodige inconnu de Tomass, les sabots ne semblaient pas s'enfoncer dans l'eau de la rivière. Enveloppés d'une brume inquiétante, les chevaux s'avançaient lentement sur l'eau, chacun portant son lugubre maître. Tomass sentit le canot changer de cap: Jékuthiel se dirigeait maintenant vers l'autre rive.

— Tu es fou! On ne traversera jamais ici!

— Il faut aller là où ces diables ne nous rejoindront pas! cria l'autre.

Perplexe, Tomass appuya l'initiative de son compagnon de quelques coups de pagaie peu convaincus. Gagnant un courant plus vigoureux, ils furent rapidement portés vers l'aval de la Lordogne. Là où les fomors auraient du mal à les rejoindre, le courant les entraînerait vers les Murs-Torrents. Tomass se demanda soudain s'ils ne venaient pas de commettre une grave erreur. Un carouge avait déjà terrassé un fomor. Contre les seigneurs noirs, ils avaient peut-être une chance. Contre les Murs-Torrents, c'était une autre histoire.

Cette fois, Tomass lutta furieusement contre la Lordogne. Ils passèrent devant les fomors, entraînés par un courant qui ne semblait pas vouloir être miséricordieux. En conjuguant leurs efforts, peut-être avaient-ils une chance de ressurgir du courant de l'autre côté. Mais Tomass fut pris d'effroi lorsqu'il constata que son compagnon avait posé sa pagaie sur ses genoux et semblait se laisser porter par le courant.

— Mais, qu'est-ce que tu fais? Aide-moi, ou nous y laisserons notre peau!

— Brigga nous aidera peut-être finalement! hurla le ménestrel en guise de réponse.

— Mais rame, par les morrighas! Rame, Jékuthiel!

L'autre ne semblait pas l'écouter. Il avait sorti quelque chose de sa besace, quelque chose qu'il avait jeté au fond du canot. Il semblait maintenant vouloir y mettre le feu.

— Mais tu es complètement fou! Je savais que je n'aurais jamais dû te faire confiance!

— Es-tu prêt pour la grand-chasse? demanda Jékuthiel, une étrange lueur dans les yeux.

— La quoi? s'inquiéta Tomass.

— La grand-chasse! Nous ne sommes pas encore perdus, Anghelis!

Le canot s'approchait dangereusement des Murs-Torrents. Le vrombissement des chutes devenait assourdissant. La peur engourdissait Tomass, qui ne ramait plus que machinalement contre un courant qui se moquait de ses efforts. Médusé par une situation qui le dépassait, il observa confusément le ménestrel qui gesticulait en récitant une incantation mystérieuse. Le canot s'ébroua alors. Jékuthiel donna immédiatement quelques bons coups de rame. Tomass ne comprit pas immédiatement ce qui se produisait. Alors que le ménestrel semblait vouloir lancer leur embarcation vers les chutes, le canot sembla ralentir.

— Ça marche! se réjouit Jékuthiel. Ça marche! Agrippe bien ta rame, Anghelis, et ne regarde pas derrière!

Tomass était sans voix: le canot s'élevait dans les airs!

— Rame, Anghelis! Rame aussi fort que tu le peux, chantait le ménestrel. Nous allons passer les Murs-Torrents!

Les Murs-Torrents. Le canot allait les atteindre d'une seconde à l'autre. Il allait basculer dans les eaux déchaînées des chutes, en les entraînant vers une mort certaine. Tomass était blanc de peur! Le canot ne touchait plus l'eau: il flottait quelques coudées au-dessus des flots. Tomass ne put retenir un cri de terreur lorsqu'il vit la Lordogne se dérober sous leur embarcation. Le canot allait piquer! Ils allaient plonger!

Le canot maintint son altitude et ne plongea pas dans les chutes, qui furent bientôt derrière eux. Mais Tomass et Jékuthiel n'étaient pas tirés d'affaire pour autant. Certes, ils avaient évité les chutes et les fomors, mais Tomass avait le vertige. Un terrible vertige! Jamais il ne s'était trouvé aussi haut. La sensation d'oppression était incommensurable, et il vacilla dangereusement à bord de l'embarcation à l'équilibre précaire.

— Rame, Anghelis! l'implora Jékuthiel.

Je ne peux diriger la grand-chasse tout seul avec si peu d'herbe. Ne regarde pas en bas ni derrière. Rame !

Rien à faire. Tomass ne regardait ni derrière ni en bas. Il avait les yeux fermés et luttait contre une nausée irrésistible. Au bord de l'inconscience, il ne réagit pas aux ordres que lui donnait Jékuthiel, pas plus qu'il ne réagit à la chute que le canot venait d'amorcer.

— Anghelis ! Ressaisis-toi ! Nous allons nous écraser !

Tomass n'en entendit pas davantage. Il avait perdu connaissance.

6

L'ÎLE DES SORCIERS

Tomass ouvrit un œil embrouillé. Puis l'autre. Sa vision était aussi trouble que ses souvenirs. Il ne sentait pas encore très bien son corps. Toutefois, ses premières impressions furent agréables : une chaleur confortable, une lumière tiède et douce, une odeur épicée, le son calme et apaisant du crépitement d'un feu. Il referma les yeux comme s'il eût voulu profiter de cet instant de quiétude. Il se trouvait dans un lit. Dans un vrai lit, sous des couvertures imprégnées d'une odeur capiteuse. Il ne chercha pas à bouger tant il se sentait bien. Mais alors qu'il émergeait d'un long songe, sa mémoire aussi lui rappela un à un les derniers événements dont il avait eu connaissance : Jékuthiel, Brigga, les fomors, les Murs-Torrents.

Cette fois, Tomass ouvrit grand les yeux. Où

était-il? À qui appartenaient ce lit, cette maison? Que faisait-il là? Il voulut bouger, mais constata que ses mains étaient liées. Il était couché sur le côté gauche, les poignets attachés à un anneau de métal fixé dans le mur de bois devant lui. Il constata également qu'on l'avait entièrement dévêtu. Pris de panique, il s'ébroua maladroitement, tout ankylosé qu'il était.

— Enfin! Il ouvre les yeux, dit posément une voix de femme, derrière lui.

Tomass tourna la tête par-dessus son épaule. Il croisa le regard vide d'un étrange personnage. Près de son lit se tenait immobile un curieux individu, l'air hagard, avec des bras trop longs fichés dans un torse voûté de forte taille.

De moins en moins rassuré, Tomass tenta de se libérer de ses liens. Aussitôt, deux larges mains l'immobilisèrent contre son lit. Il fut paralysé de douleur et laissa échapper un cri. La créature était de toute évidence très forte, mais la pression qu'elle exerçait sur lui était mesurée; la douleur irradiait d'une quelconque blessure, sûrement un legs de la grand-chasse.

— Doucement, le grand! intervint l'autre. Ne va pas me l'abîmer! J'ai promis de le remettre sur pied. Après tant d'efforts, ça serait trop bête!

La créature relâcha lentement son emprise.

La douleur paralysante s'effaça, mais Tomass ne daigna pas tenter quoi que ce soit d'autre pour le moment. Il sentit bientôt qu'on s'asseyait près de lui. Une main chaude lui caressa tendrement le bras.

— Doucement, jeune homme. Tu n'es pas prisonnier, ici. Ne t'énerve pas. Mais tu n'es pas complètement remis de tes blessures. Je me suis occupée de toi, comme il me l'a demandé. Tu seras bientôt remis. Ta tête va beaucoup mieux. Attends. Je vais défaire tes liens.

Aussitôt dit, la femme se pencha par-dessus lui et défit doucement les nœuds qui le retenaient attaché au mur. Tomass put enfin voir à qui appartenait cette voix maternelle au drôle d'accent. La femme devait avoir une quarantaine d'années au plus, mais son visage était gravé des marques d'un dur labeur et d'une solitude évidente. Elle avait de longs cheveux blonds noués en une natte épaisse qu'elle portait sur son épaule. Alors qu'elle était appuyée contre lui pour le détacher, il sentit son odeur, la chaleur de son corps, le poids de ses seins sur son bras. Cette femme n'avait rien de menaçant. Sa présence était rassurante, sa voix, sans malice aucune. Il retrouva bientôt son calme, mais il sursauta lorsque la porte de la masure claqua soudain. Un jeune homme était entré en coup de vent.

— Du calme, Neverek! Notre patient est éveillé.

— Tu lui as défait ses liens? s'étonna le jeune homme.

— Il n'en a plus besoin, je crois. Il est plus calme.

— Je ne crois pas que cela soit prudent, ma mère. Il pourrait être dangereux. D'ailleurs…

— Rien du tout, Neverek! coupa sa mère. Va plutôt nous chercher de quoi dîner. Nous serons trois, ce soir.

Tomass ne comprenait pas grand-chose à la situation. Il n'avait pas bougé.

La femme le fit se coucher sur le ventre. Elle lui découvrit le dos.

— Tu as une drôle de peau, jeune homme, lui dit-elle en se frottant les mains vigoureusement.

Tomass ne comprenait pas ce qu'elle faisait. Il voulut le lui demander, mais trop de questions se bousculèrent dans sa tête. Qui était-elle? Pourquoi était-il là? Quelles étaient ses blessures? Et surtout: où était passé son fléau? Il n'eut pas le temps d'organiser ses idées qu'il sentit les mains pesantes de la femme lui presser le dos. Il se raidit, saisi d'une douleur soudaine, qui s'atténua cependant et se fit bientôt tolérable, sous les mains de la femme, apaisantes. Elle lui appliqua un quelconque onguent qu'elle étendit sur son dos et ses épaules. Une grande sensation de chaleur l'envahit. Celle-ci s'accrut à un point tel qu'il eut vite peur d'être brûlé. Pourtant, la sensation était supportable, agréable même. Tomass s'abandonna aussitôt à cette curieuse médecine. Les mains de cette étrangère lui massaient le dos et les épaules, et il s'en enivrait. Il ferma bientôt les yeux et, sans dire un mot, s'abandonna de nouveau à un sommeil réparateur.

Tomass émergea de son sommeil quelques minutes plus tard. Sa protectrice l'aida à s'asseoir.

— Merci, fut son premier mot à son endroit.

Un regard furtif dans la chaumière ne lui permit pas de repérer ses affaires. L'affolement le gagna de nouveau. Il tenta de se lever, mais son dos lui intima de rester sagement assis.

— Du calme. Ton dos sera bientôt dans un meilleur état, mais tu ne dois pas le brusquer.

— Où sont mes affaires?

— Ici, répondit la femme en sortant de sous le lit un baluchon. Tu auras besoin de nouveaux vêtements. J'ai recousu cette chemise…

Tomass lui arracha presque ses vêtements des mains et s'en vêtit. Il explora prestement le contenu du baluchon. Le fléau ne s'y trouvait pas.

— Tu cherches quelque chose en particulier ?

— Sont-ce là toutes mes affaires ?

— J'en ai peur, oui, répondit calmement la femme. C'est là tout ce que Jékuthiel m'a remis.

— Jékuthiel ? Où est-il ? Je dois lui parler !

— Je ne sais pas où il est, mais il a dit qu'il reviendrait bientôt. Il t'a confié à moi en attendant. Allons. Calme-toi. Il n'est rien que tu puisses faire pour le moment.

Tomass ravala quelques jurons. S'il retrouva un apparent sang-froid, son esprit ne trouverait le repos que lorsqu'il aurait remis la main sur son fléau. Sans lui, il était perdu. Il implorait l'Archimage de faire en sorte qu'il soit en la possession de Jékuthiel. Sinon… Il osait à peine envisager cette éventualité. Son fléau reposait peut-être au fond de la Lordogne ! Ou entre les mains d'un quidam !

Ses tourments internes furent mis en sourdine lorsque Neverek fit de nouveau irruption dans la pièce. Le fils de cette femme était un fort gaillard d'une quinzaine d'années. Il tenait entre ses mains deux lièvres qu'il balança sur la table avant de se défaire de sa besace. Sous une épaisse tignasse, deux yeux vifs dévisageaient Tomass. Neverek toisa à tour de rôle sa mère et cet inconnu dans sa maison comme s'il cherchait une quelconque connivence entre elle et lui.

— Je croyais que tu reviendrais avec de l'anguille.

— Il n'est pas encore prudent de s'aventurer près de nos *pors*. On nous croirait acoquinés avec ces démons du canot volant.

— Alors, va nous préparer ces lièvres que je nous les cuisine.

Neverek se saisit des deux bêtes et sortit de la demeure, non sans insulter la créature qui faisait le guet près de la porte.

Les démons du canot volant… Il n'en fallut pas davantage à Tomass pour comprendre que c'était de Jékuthiel et lui qu'il était question. Il comprit aussi que cette femme et son fils ne le savaient pas. Pas encore, du moins. Jékuthiel ne les en avait donc pas avisés. Tomass en déduisit où il se trouvait. Des humains parlant la même langue, mais avec un drôle d'accent, un golem, ce colosse idiot près de la porte : il ne pouvait être qu'au Morcen. Jékuthiel et lui s'étaient échoués de l'autre côté de la Lordogne. Jékuthiel avait fait en sorte de les conduire chez les sorciers. C'était ce qu'il voulait. Maintenant qu'il avait gagné l'autre rive, allait-il seulement revenir ?

À défaut d'une solution à court terme à ses

problèmes, il se contenta de regarder les mains habiles de cette femme préparer un repas avec les lièvres. Il observa en silence le jeune Neverek s'inquiéter de sa présence parmi eux. Il crut comprendre que cette femme et son fils vivaient isolés en marge d'un quelconque village morcenos. La présence d'un étranger chez eux juste après qu'on avait aperçu des « démons » n'arrangeait pas les choses. Par ici aussi, les temps semblaient troublés. Il reconnut aux préoccupations de ses hôtes les mêmes inquiétudes qu'aux Havres.

— Je ne resterai pas longtemps, finit-il par dire à l'attention de Neverek.

— Ça, c'est sûr ! répondit aussitôt Neverek. J'en fais mon affaire. Quoi qu'en dise le barde. Tu nous parasites depuis trop longtemps déjà !

— Neverek ! coupa sa mère.

Tomass décela chez Neverek autre chose qu'une simple crainte que sa présence entraîne des complications. Neverek épiait les réactions de sa mère, à chaque allusion au ménestrel. Une autre pauvresse sous le charme de Jékuthiel, peut-être ? Une autre qui ne pouvait rien lui refuser. Tomass se trouvait, une fois de plus, réduit à profiter d'une aide fortuite qu'il n'avait pas demandée – mais dont il avait grandement besoin – et qu'il devait à Jékuthiel.

Le repas fut silencieux. Tomass se régala

néanmoins du ragoût de lièvre. Le pain était inhabituel, mais il finit par s'en accommoder. L'eau était fraîche et ô combien désaltérante! La soirée fut calme. Neverek s'en alla vaquer à quelque occupation extérieure, et Tomass eut de nouveau droit à un délectable massage. Curieuse médecine que celle-là, mais qui donnait presque envie d'être malade.

Le lendemain, n'y tenant plus, Tomass tenta de se lever. Sans l'en empêcher, Salomé – elle lui avait dit son nom – lui fit comprendre qu'il valait mieux être patient. Ses jambes le portaient sans peine, mais son dos se cabrait douloureusement au moindre mouvement.

— Rien de grave, rien qui n'aura disparu entièrement d'ici quelques jours, mais tu dois te donner la chance de récupérer.

— Je ne peux pas simplement rester là et me faire servir, rechigna Tomass. Vous n'êtes pas à mon service. Je dois au moins m'acquitter de la dette que j'ai envers vous.

— Laisse ça, mon jeune ami, Jékuthiel s'est déjà occupé de tout.

— C'est pour lui que vous êtes aux petits soins pour moi?

— Tu croyais que c'était pour tes beaux yeux? lui dit-elle en lui caressant gentiment la joue.

Le jour suivant, Tomass fit de son mieux pour ne pas désobéir aux recommandations de sa soignante. Son âme n'était pas moins triturée par l'absence de son fléau. Curieuse sensation que celle de regretter autant ce dont il cherchait désespérément à se départir. Il tenta de poser quelques questions plus ou moins subtiles ; ou Salomé ne voulait rien lui dire, ou alors elle ne savait vraiment rien des intentions de Jékuthiel. Tomass apprit néanmoins que les démons volants avaient été aperçus quelque vingt jours auparavant. Vingt jours ! Tomass avait perdu vingt jours ! Comment allait-il récupérer son fléau maintenant ? Il attendait impatiemment le retour de Jékuthiel.

« Grand Archimage, faites qu'il ait le fléau avec lui ! »

En attendant, il avait appris où le canot s'était échoué et quelques allusions subtiles lui permirent d'espérer qu'on ne s'était pas trop approché des lieux du naufrage, superstitions obligent. Il avait la ferme intention d'aller y jeter un œil dès que son dos le lui permettrait. La médecine de Salomé aidant, ce pourrait être dès le lendemain.

Le soir venu, alors que Neverek s'en était allé poser des collets, Salomé vint s'asseoir près de Tomass.

— Je peux encore te masser si tu le veux.

Je sais calmer les douleurs physiques. Celles de ton âme, par contre, ne sont pas de mon ressort.

Elle caressa la joue de Tomass puis lui offrit son épaule. Tomass n'opposa aucune résistance. Elle le fit coucher sur le ventre à nouveau et lui massa une nouvelle fois le dos. La thérapie terminée, Tomass se rassit et posa une main reconnaissante sur l'épaule de Salomé. Avant de réaliser ce qu'il venait de faire, Salomé avait porté la main à sa propre joue. Les yeux fermés, elle souriait tendrement. Lorsque Tomass, entre plaisir et malaise, hésita à retirer sa main, elle lui prit l'autre et la posa sur son sein. Elle défit le lacet de sa chemise et dévoila sa poitrine aux mains hésitantes de Tomass.

— Je ne te plais pas? demanda-t-elle dans une fausse timidité.

— Ce n'est pas cela... bafouilla Tomass, les yeux rivés sur les seins de Salomé. Ton fils...

— Qu'est-ce qu'il a, mon fils?

— Je ne suis pas sûr qu'il approuve.

— Je suis certaine qu'il n'approuve pas. Neverek est un peu jaloux et n'aime pas qu'on tourne autour de sa mère. C'est un brave garçon, peut-être un peu trop protecteur. Mais en cet ouvrage, ce n'est pas lui qui peut me servir.

Elle lui chuchotait maintenant ces mots à l'oreille en lui volant quelques baisers dans le cou au passage.

— Ne t'en fais pas. Neverek n'est pas ici. Si ça se trouve, il est en train de faire la même chose avec une bougresse du village.

Quoique mal à l'aise, Tomass ne détestait pas l'idée que c'était de lui, et non du ménestrel, que cette femme avait envie cette nuit.

Elle retira la couverture, de même que la culotte que Tomass portait maintenant. Avec douceur, mais sans pudeur aucune, elle prit son pénis dans sa main. Le sexe finit de se durcir entre ses doigts. Elle remonta ses jupes et chevaucha doucement Tomass. Il sentit l'odeur épicée et tiède de cette femme le transpercer. Il sentit son sexe contre le sien. Lentement, doucement, il sentit qu'il la pénétrait. Elle se lova contre lui, la tête cachée au creux de son cou. Elle fit en sorte qu'il la prenne dans ses bras. Tomass se laissait faire. Très doucement, elle bougea contre lui jusqu'à ce qu'il jouisse en elle. Les deux s'endormirent ainsi l'un contre l'autre.

Le lendemain, Tomass fut soulagé de se trouver en grande forme. Il sentait encore quelques raideurs dans son dos et ses épaules, mais rien qui l'obligerait à demeurer alité. Cela le soulageait d'autant plus que sa situation le rendait mal à l'aise. Il se faisait l'effet d'être un parasite et devenait fou à l'idée de ne rien entreprendre pour récupérer son fléau. Il passa une bonne partie de la journée à exécuter de menus travaux pour Salomé. Il tentait ainsi de rembourser une partie de sa dette tout en explorant les limites de sa guérison. Il languissait néanmoins que le jour tombât. Discrètement, il tenta de se repérer de façon à pouvoir atteindre la rivière dès qu'il en aurait l'occasion.

Au crépuscule, Neverek s'en fut relever ses collets. Salomé rentra attiser le feu dans l'âtre. N'y tenant plus, il profita de l'occasion pour se défiler provisoirement.

Tomass gagna la berge aussi vite qu'il le put. Il se déroba aux regards des villageois qui arpentaient les berges près d'étranges installations apparemment destinées à piéger des bêtes aquatiques. Les rares renseignements qu'il avait su soutirer à ses hôtes lui suffirent pour découvrir rapidement le lieu du naufrage des démons. Il s'y dirigea prestement.

Le canot du père Letarignac gisait en morceaux.

— Pauvre Miloch. Je t'en dois une.

Comme un gueux devant quelques écus répandus, Tomass fouilla frénétiquement l'endroit à la recherche de son fléau. Rien. Ni kerpan, ni herbes de Brigga, ni fléau. Rien du tout.

— Sacrée merde de troll! T'as intérêt à avoir le fléau avec toi, Jékuthiel le ménestrel!

Tomass distingua soudain des bruits discrets, mais sournois dans les fourrés. On l'épiait. Tomass fit volte-face et vit le jeune Neverek se ruer sur lui avec un coutelas menaçant. En moins de deux, le pauvre adolescent se retrouva face contre terre dans plusieurs phalanges d'eau, désarmé.

— Les anguilles! Merde! Salopard! Les anguilles! se débattit Neverek.

Les anguilles? Tomass ne comprenait pas à quoi Neverek faisait allusion. Il vit néanmoins quelque chose bouger dans l'eau. Une forme sinueuse ondulait dans sa direction. Il n'eut pas le temps de s'esquiver qu'une décharge foudroyante claqua dans sa cuisse. Il relâcha aussitôt son emprise sur son assaillant, qui en profita pour se mettre hors d'atteinte. Tomass clopina hors de l'eau.

— Je l'savais! Tu es un de ces démons! rugit Neverek, qui avait récupéré son arme.

Sans autre préambule, il se rua de nouveau sur son adversaire à la jambe engourdie. Mais c'était à un ex-carouge qu'il s'en prenait. Aussi facilement que la première fois, Tomass désarma son adversaire, même sur une seule jambe. L'autre mordit de nouveau la poussière, le bras droit pris dans une douloureuse étreinte.

— Tu te calmes ou je te désarticule, le morveux!

— Salaud! Sale démon! Tu nous feras tuer!

— Je ne suis pas un démon! enragea Tomass qui durcit la clé de bras. Je n'ai pas choisi d'être ici ni d'être soigné par ta mère. Mais je ne suis pas un démon ni un monstre. Je ne vous veux aucun mal, mais je commence à en avoir assez de demander la permission de vivre ma vie. Tu vas jurer. Jurer de ne rien révéler à personne de notre petite dispute. Jure sur la tête de ta mère, ou c'est manchot que tu chasseras le lièvre! Aller jure!

— Salaud! Aaaah! Je le jure… Je le jure sur la tête de ma mère! Je ne dirai rien.

Tomass libéra le jeune homme et lui remit son coutelas.

— Écoute, Neverek, je suis de votre côté. Je vous dois beaucoup à ta mère et toi. Je ne cherche pas à vous nuire, tu sais. S'il y a quoi que ce soit que je puisse faire pour m'acquitter de…

— Alors, va-t'en! Si tu veux nous rendre service, va-t'en! le supplia le jeune Neverek en s'essuyant les yeux.

Tomass ne l'écoutait plus. Il s'était mis à trembler. Il avait relevé des yeux vides vers Neverek, qui prit ses jambes à son cou. Dans l'esprit de Tomass, il faisait maintenant nuit noire. Un vent chaud soufflait, un vent d'épouvante. Ses bras décharnés étaient dressés devant lui, ne lui répondant plus. Le souffle d'une bête enragée lui brûlait l'échine, et cette présence… Cette terrible présence! On courait autour de lui! On courait, tombait, criait, pleurait! On rivait sur lui des yeux accusateurs et on l'implorait à la fois. Quelque mal rôdait autour de lui sans qu'il puisse en identifier ni la nature ni la provenance. Un mal d'une puissance terrifiante qui faisait pleuvoir sur l'endroit un désespoir manifeste. «Je n'y suis pour rien! aurait-il voulu crier. Je ne suis plus moi-même! Je ne suis pas ici avec vous!»

Titubant, Tomass se prit le pied dans une racine et tomba à la renverse. Il émergea confusément de son cauchemar et se retrouva de nouveau sur la rive de la Lordogne, seul, hagard. Il en fut quitte pour rentrer chez Salomé, bredouille et troublé.

Les deux jours suivants furent presque aussi pénibles que les précédents. Neverek n'avait apparemment rien laissé transparaître de la petite altercation. Salomé n'avait exigé aucune précision au sujet de la promenade de Tomass et avait feint de se satisfaire des explications que ce dernier avait offertes spontanément au sujet de ses vêtements sales et trempés. Cela dit, Tomass n'avait pas récupéré son fléau et avait eu une nouvelle vision. Et Jékuthiel, qui ne donnait toujours aucun signe de vie...

Au retour d'une promenade au cours de laquelle Tomass avait tenté de voir clair dans la possible suite des choses, il entendit une voix familière s'entretenir avec Salomé.

— Jékuthiel! cria Tomass en faisant irruption devant la demeure.

— Ah! ah! Mais tu m'as remis cet empoté sur pied, Salomé. Félicitations!

— Jékuthiel! Il faut que...

L'élan de Tomass fut stoppé par les deux kerpans que Jékuthiel lui lança.

— Mais qu'est-ce que tu fabriquais? Où étais-tu tout ce temps? Où est-il? poursuivit Tomass à l'oreille du ménestrel.

— Ah! Je suis content de te voir aussi, Anghelis! ironisa Jékuthiel en lui faisant l'accolade et lui administrant un baiser sur la joue à la volée.

Du même coup, il tendit discrètement à Tomass le précieux objet qui lui faisait si désespérément défaut. Ce dernier eût voulu botter le derrière de Jékuthiel pour tant de désinvolture, mais il était si soulagé de tenir le fléau entre ses doigts qu'il se laissa aller à danser sur l'air joyeux que venait d'entamer Jékuthiel, non sans avoir dissimulé le fléau sous sa chemise.

Si rien n'était encore joué dans sa quête, ce fut néanmoins le cœur léger que Tomass passa cette soirée en la compagnie du ménestrel et de Salomé, sous le regard méfiant de Neverek.

— Je vois que tu ne rechignes plus à manier ces sabres, Anghelis, dit Jékuthiel, qui trouva Tomass à l'aube en pleine gymnastique martiale.

— Bien... J'imagine qu'ici personne ne m'en tiendra rigueur. Et puis c'est bien tout ce qu'il me reste de chez moi.

— Bien parlé, Anghelis! Voilà enfin des paroles sensées.

— À ton tour maintenant, Jékuthiel. Comment sommes-nous arrivés ici?

— Mais oui! Bien sûr! Eh bien... Tu t'es évanoui, tu te rappelles?

— Pas vraiment.

— Bon, alors, tu as perdu connaissance, et je me suis retrouvé seul à manœuvrer ce satané canot – en passant, je suis désolé pour le canot. J'ai fait ce que j'ai pu, mais nous nous sommes écrasés quand même. Après avoir recouvré tous mes sens, je t'ai sorti de cette eau infestée d'anguilles et t'ai traîné sur la berge. Tu étais en vie, mais je ne connaissais pas encore l'étendue de tes blessures. Je t'ai porté jusqu'ici et t'ai confié aux bons soins de cette dévouée Salomé.

— Je suppose que je dois te remercier à nouveau ?

— L'usage le voudrait, en effet.

— Et qu'as-tu fait, tout ce temps ?

— Toutes sortes de choses… Tu sais bien… Des frivolités.

— Mais encore ? insista Tomass.

— J'avais besoin de me laisser inspirer par l'air du Morcen. J'ai mangé de l'anguille grillée…

— Tu aurais aussi bien pu faire tout cela par ici. J'ai goûté de cette anguille hier soir. Salomé est bonne cuisinière !

— Je sais bien. Mais tu avais besoin de repos, Salomé d'espace pour te soigner, et j'ai cru bon de ménager un peu Neverek. Le pauvre, il n'aime pas trop me voir tourner autour de sa mère, je crois.

— Qui l'en blâmerait ? Tiens, en parlant du loup…

Neverek venait d'apparaître. Il passa devant les deux hommes sans leur adresser un regard.

— Il ne t'aime pas trop non plus, à ce que

je vois, constata Jékuthiel. Il sera heureux de nous voir partir.

— Tu comptes mettre les voiles bientôt?

— Aujourd'hui même. Puisque tu es sur pied, inutile de nous éterniser ici. Neverek n'en sera que soulagé. En nous hâtant un peu, nous serons à Heirador pour les célébrations de la pierre. Il faut absolument que tu voies comment les Ondalfs célèbrent la capture de la morrigha d'Heirador! Ça vaut le déplacement, je t'assure.

Tomass fut pris de court et ne trouva rien à répondre. Il aurait dû s'y attendre: Jékuthiel avait l'habitude de le bousculer.

— Qu'est-ce qui te fait hésiter?

— Enfin, je ne suis pas sûr que… Pourquoi irais-je chez les Alfs? répondit Tomass en portant son regard du côté de la Lordogne et de son Mythill natal.

— C'est la mort qui t'attend là-bas, Anghelis. Tu y serais un anathème. Viens plutôt avec moi.

— Je ne parle pas la langue alfime. Ici au moins, je parle la langue locale.

— Et, moi, je les parle toutes!

— Et Salomé?

— Quoi, Salomé?

— Je l'abandonnerais ainsi?

— Tu n'avais tout de même pas l'intention

de rester ici, non ? Ce que Salomé a fait, elle l'a fait pour moi.

— Mais tu viens d'arriver ! Pourquoi se presser ainsi ?

— Je n'ai pas dormi pendant deux semaines, moi. Qu'aurais-je à faire dans ce trou perdu ? Je ne gagne pas ma pitance dans les auberges miteuses de villages oubliés. Je suis allé à Tiranos et ai eu le temps d'en revenir pendant ta convalescence. Il est temps pour moi de reprendre la route. Le festival d'Heirador m'attend !

— Et qu'irais-je faire à un festival ? Il est plus que temps que je voie à mes propres affaires.

— Peut-être, en effet. Mais sache que les Ondalfs sont versés dans l'art de préparer les plantes. Je puis te mettre en contact avec plusieurs d'entre eux, crois-moi.

— Et ensuite, Jékuthiel ? Imaginons qu'un Alf arrive à jeter un peu de lumière sur mon histoire. Où irai-je ensuite ? Combien de temps serai-je à ta merci ? Combien de temps souffriras-tu ma présence ?

— Je ne doute pas qu'un carouge puisse retrouver sa route, devrait-il revenir sur ses pas en terre étrangère. Mais je n'ai pas l'intention de t'abandonner, Anghelis. Ton sort n'est pas le mien, j'en conviens, mais j'ai chanté et joué à toutes les cours des Sept Royaumes. J'ai vu les magiarks, conversé avec l'Échomancien, croisé la route du Mitgarth. Je ne puis rien te promettre, sinon que c'est à mes côtés que tu as le plus de chances de rencontrer qui t'aidera.

Tomass ne répondit pas. Son regard passa de la Lordogne à la masure de Salomé. Ses pensées avaient été obnubilées par le pressant désir de recouvrer son fléau. Maintenant que c'était chose faite, il lui fallait reprendre sa quête, et, à première vue, les arguments de Jékuthiel étaient sensés. Toutefois, tourner le dos au Mythill ou à cette femme du Morcen auprès de laquelle il avait trouvé quelque réconfort lui était très pénible.

— Tu fais comme tu veux, Anghelis. En ce qui me concerne, je partirai dans quelques heures. J'aurai payé le passeur avant la nuit et je logerai à l'enseigne du Vieil Urkian. C'est la première et la seule auberge avant une lieue. Je reprendrai la route tôt demain. Je serai heureux de la faire en ta compagnie, si tu daignes accepter mon offre.

Sur ces propos, Jékuthiel fit mine d'aller voir à ses préparatifs.

— Réfléchis bien, Anghelis. Prends courage et la bonne décision.

Réfléchir. Tomass était trop perturbé pour accepter d'emblée la proposition de Jékuthiel. Mais il allait y réfléchir. Il devait y réfléchir.

Et sans attendre. Du reste, il n'avait guère de préparatifs à faire, déciderait-il d'entreprendre l'expédition vers le pays alf avec le ménestrel. Il avait peu d'équipement : ses bottes, ce qu'il lui restait de vêtements, ses kerpans, le fléau et des écus qu'il échangerait contre des provisions.

Quelques heures plus tard, Jékuthiel était parti. Comme il l'avait dit. Salomé en était visiblement attristée, et Neverek exultait en silence. Le temps pressait Tomass, qui n'arrivait pas à y voir clair, occupé qu'il était à se donner bonne conscience en aidant une Salomé indifférente. Mais l'heure du choix ne pouvait plus guère être retardée. N'y tenant plus, Tomass s'éclipsa vers la rivière.

— Tête froide, mon vieux.

Comme il l'avait si souvent fait en pareilles occasions jadis, il ferma les yeux, prit quelques grandes inspirations et s'abandonna à une danse martiale exécutée avec ses kerpans. Il espérait recouvrer par cette méditation le calme et la raison qui lui faisaient défaut.

Les événements se bousculèrent néanmoins. Une fois de plus, il sursauta à l'arrivée de quelqu'un. Moins discret que la fois précédente, Neverek accourait, visiblement paniqué.

— Je le savais ! C'est ta faute !

Le jeune homme ravalait des sanglots effrayés

en crachant ses poumons. Il avait manifestement couru à en perdre haleine à la recherche
de Tomass.

— Que se passe-t-il? s'inquiéta celui-ci.

— Ils s'en sont pris à ma mère! C'est ta
faute!

— Qui ça? Qui s'en est pris à ta mère?

— Les villageois! Ils disent que des choses
bizarres se sont produites et que c'est de la
faute de l'étranger qu'elle a hébergé! sanglota
Neverek accroché à la chemise de Tomass.

— Si c'est à moi qu'ils en veulent, pourquoi
s'en prendre à ta mère?

— T'es idiot ou quoi? Elle ne savait pas
où tu étais, alors ils ont trouvé une autre
coupable!

— Que lui ont-ils fait?

— Ils l'ont molestée! Je ne sais pas trop.
Notre golem n'a pas réussi à les retenir bien
longtemps. Il y en avait trois avec eux et...
Mais vas-y! Qu'est-ce que tu attends? Je
croyais que tu avais une dette envers ma mère!
Vas-y puisque c'est toi qu'ils veulent, salopard!

Il n'en fallut pas davantage à Tomass. Les
puissantes jambes du carouge avaient retrouvé
toute leur vigueur. Mu par la rage et par
l'appréhension, il fondit vers la chaumière de
Salomé comme un faucon sur sa proie.

Il fit irruption sur les lieux avec tant de

fougue qu'on ne comprit pas immédiatement ce qui se passait. Il arriva à temps pour voir une brute bousculer Salomé, qui tomba à la renverse dans sa cuisine en poussant un grand cri de douleur. Sans faire les présentations, Tomass se rua sur l'homme, lui brisa un genou d'un coup de pied et lui assena un solide coup de poing au ventre. Le bougre tomba à la renverse sans demander son reste. Saisi par-derrière par les autres villageois, Tomass fut à son tour renversé. Un de ses assaillants tenta de lui prendre un de ses sabres, mais ne récolta qu'un coup de pied au visage. En moins de deux, Tomass était debout, faisant face à la meute de villageois en colère.

— C'est moi que vous cherchez ? Alors, vous m'avez trouvé ! Laissez Salomé tranquille, ou il vous en coûtera !

Forts de leur surnombre, les villageois se rirent de la menace. Ils pointèrent plutôt leurs fourches et épieux vers l'ex-carouge qui braqua devant lui ses deux kerpans en guise de réponse. Voyant les autres avancer, il assena quelques coups bien placés qui désarmèrent deux de ses adversaires. Soudainement moins fanfaronne, la foule s'écarta pour faire place à trois golems qui marchaient vers lui, menaçants, encouragés en ce sens par leurs maîtres.

— Arrière! Arrière ou je vous saigne comme des porcs!

Les villageois rirent de l'ignorance de Tomass. Ce dernier, tentant d'éviter un bain de sang, opta plutôt pour quelques feintes destinées à lui procurer un avantage sans avoir à trop user de ses deux sabres. Rien n'y fit, les monstres ne mordirent point. L'un d'eux assena un formidable coup à Tomass, qui vola plusieurs coudées plus loin, un kerpan en moins. Il fut plaqué au sol par de larges mains. Presque étouffé, il eut tout juste le temps de voir la jambe du troisième golem se lever pour lui fracasser la tête. Tant pis pour les golems, ils avaient choisi le sang. Le kerpan de Tomass trancha net la jambe qui lui destinait un coup. Surprise! Ni sang ni cri! Le son se fit sec, comme s'il eût tranché un vieux livre. Le golem tituba, incapable de maintenir une position stable.

Sans attendre de suffoquer davantage, Tomass assena un autre coup de kerpan qui trancha les deux mains d'un des golems qui le tenaillaient. Il se libéra sans peine et se remit debout. Il fit face aux monstres, vis-à-vis desquels il ne manifestait plus aucune pitié. Ces immondes créatures n'étaient pas vivantes; il n'avait plus de remords à les rendre inertes. Une série de mouvements précis suffirent à retourner les lourdauds golems à la fange dont ils étaient issus.

La meute de villageois se fit plus silencieuse. L'aisance avec laquelle l'étranger s'était défait des trois créatures avait impressionné.

Tomass n'était pas au bout de ses peines. Il devrait encore attendre avant de pouvoir porter secours à Salomé. Un autre hère fit irruption dans l'éclaircie. À l'instar de Neverek quelques instants auparavant, le bougre était épouvanté, comme s'il avait eu le diable aux trousses.

— Le troll !

— Quel troll ? demanda celui qui semblait être à la tête du groupe de villageois. Qu'est-ce qui t'affole ainsi, Tannepierre ?

— Le troll de l'étang ! Le troll de l'étang au troll s'est éveillé ! Il a détruit la ferme du père Russac. Il est là ! Derrière !

La terreur qui tenaillait l'homme était sincère et secoua tout le groupe, qui riva aussitôt des yeux inquiets sur le couvert des arbres. Tomass ne comprenait pas.

« Comment un morvelon peut-il leur inspirer pareille crainte ? Ils sont une douzaine, tous armés de fourches ! À moins que… »

Une terrible pensée traversa l'esprit de Tomass. Les trolls qu'on appelait morvelons n'avaient rien des trolls anciens qui, disait-on, sévissaient jadis ici et là dans les Sept Royaumes.

« Serait-ce possible qu'il s'agisse d'un *cœur-brasier* ? »

La réponse ne se fit pas attendre. La forêt s'agita soudain, et tous virent les quelques volutes de fumée qui en émanaient un peu plus loin. Le groupe de villageois recula, passant à côté de Tomass sans lui prêter attention. On entendit des craquements, et de longs membres velus écartèrent bientôt les arbres frêles avec une aisance inquiétante. La bête fit alors irruption. Leur retraite coupée, les villageois s'accrulèrent à l'opposé de l'éclaircie. Tomass resta devant la maison, aux côtés du golem abîmé de Salomé. Ils attirèrent aussitôt l'attention du troll, qui les salua d'un sourire de satisfaction. La ressemblance avec les morvelons était réelle, mais l'on ne pouvait se méprendre. Ce monstre surpassait en taille le plus grand des morvelons. Il mesurait six coudées au moins. Son regard trahissait une intelligence moins niaise. Son thorax se gonflait monstrueusement à chaque inspiration, et ses yeux étaient de braise.

Obéissant à un ordre donné depuis l'arrière, le golem de Salomé, ou ce qu'il en restait, se dirigea vers le monstre. Neverek s'était joint à la fête, mais était sagement demeuré hors d'atteinte. Le golem fut saisi par le cœur-brasier. Il lui opposa toute sa force, et les deux luttèrent ainsi un court instant. De l'étreinte du troll s'échappa bientôt une fumée noire, et tout le golem s'embrasa. Le monstre écarta son adversaire dont le corps enflammé alla s'écraser sur le chaume sec du toit de la masure. Le feu se répandit aussitôt.

Tomass hésita. Il n'avait jamais affronté de cœur-brasier. Il ne pouvait pas non plus profiter d'une quelconque expérience par procuration, car l'on ne parlait plus des grands trolls que dans les légendes des temps anciens. Il avait d'ailleurs du mal à imaginer ce qui avait pu tirer ce monstre de son sommeil oublié. À l'évidence, cette bête opposerait davantage de résistance que quelques golems, quelques morvelons ou même un loup pourpre. Mais Tomass allait-il bêtement fuir et abandonner Salomé à son sort? Quoiqu'il fût de mise de prendre les légendes avec circonspection, elles n'avaient rien exagéré au sujet de l'allure de ce monstre. Or, elles prétendaient aussi que les cœurs-brasiers ne rechignaient pas à se repaître de chair humaine.

Le dilemme fut tranché net lorsque le troll lorgna du côté de la chaumière. Tomass se rua sur lui comme un chien enragé. La bête fut surprise et retint ses coups. Les kerpans se heurtèrent néanmoins à une peau d'une incroyable dureté. Le monstre s'en tira avec quelques estafilades douloureuses. L'étonnement de Tomass donna à son adversaire un avantage. Le troll lui assena un coup d'avant-bras qui lui fit mordre la poussière. Ébranlé et étourdi, il en avait laissé tomber ses kerpans. Voyant d'un œil flou le monstre venir vers lui, il chercha à tâtons ses armes. Ses mains les agrippèrent un instant trop tard : le troll l'avait saisi, lui, et pratiquait maintenant une étreinte qui ne laissait à Tomass que peu d'espace pour manœuvrer. Pour joindre l'utile à l'agréable, les poignes du cœur-brasier devinrent brûlantes. Tomass sentit la douleur foudroyante lui paralyser les bras. Une fumée grise s'échappa de sa chemise dans l'étau de braise. L'instant d'après, elle s'embrasait, comme tous ses vêtements d'ailleurs. Il sentit sa ceinture se défaire, ses cheveux brûler, sa peau se durcir. Il hurla de douleur, ce à quoi le troll répondit par un rire caverneux et satisfait.

Quelque part entre le délire et l'inconscience, la mémoire d'un lointain souvenir revint à Tomass.

— Tomass ! Tomass, qu'est-ce que tu fais ? Par l'Archimage !

La mère s'était précipitée sur son fils de six

ans dont la main s'était embrasée. Surpris en train de faire une bêtise, le jeune Tomass avait aussitôt jeté la braise ardente qu'il tenait dans sa main comme un trésor. La mère ouvrit de force les doigts crispés qui résistaient. Lorsque enfin elle put jeter un œil sur la paume de son fils, elle fut soulagée de n'y voir aucune blessure.

— Oh, Tomass! Tu aurais pu te brûler la main, mon enfant! le gronda-t-elle tout en le serrant maternellement dans ses bras. Pourquoi as-tu fait ça?

— Je ne sais pas. C'est beau. Je voulais le prendre, sanglota Tomass.

Le soulagement fit bientôt place à la stupeur. Lorsqu'elle voulut examiner la braise que son fils avait dans la main l'instant d'avant, c'est elle qui s'y brûla les doigts. Incrédule, elle jeta de nouveau un œil sur la paume de son fils: pas une marque, pas même une rougeur!

— Tomass, mon petit, promets-moi de ne jamais refaire ça!

— Oui, maman.

— Promets-moi aussi de ne jamais en parler à personne. Tu m'entends? À personne!

Ces mots revinrent à l'esprit de Tomass, toujours prisonnier de l'étau du monstre. La douleur ne le paralysait plus, comme si elle avait dépassé ce qui pouvait être ressenti par ses sens. Sa peau avait de nouveau refusé de se consumer. Tenant toujours la garde brûlante de ses kerpans, il en inversa la prise et, écartant ses propres jambes, en assena un coup d'estoc dans les testicules de son adversaire. Le monstre relâcha aussitôt son étreinte, et Tomass tomba devant lui. Enragé, le troll frappa à maintes autres reprises le pauvre Tomass qui esquiva comme il le put, sans arriver à infliger à son adversaire autre chose que des coupures superficielles. Comme Tomass aurait voulu revivre l'enivrement qu'il avait ressenti alors qu'il avait donné une leçon au loup pourpre chez les charbonniers! Il était loin de se sentir aussi agile devant un monstre qui surpassait le loup de loin.

Cherchant son souffle, Tomass esquivait de plus belle les offensives brutales du cœur-brasier. La chance voulut qu'il lui cisaille un doigt. Partiellement amputé, mais fort de sa supériorité manifeste, le troll vint défier Tomass de ses crocs hurlants. Fatale erreur. Du coin de ses yeux épuisés, Tomass vit l'opportunité. D'un geste vif et précis, il lacéra le visage du monstre, lui crevant un œil au passage. Fou de douleur, le troll tomba à genoux et s'égosilla, offrant une gorge béante aux kerpans tranchants de Tomass. Deux coups d'affilée.

Le sang incandescent du cœur-brasier s'écoula alors abondamment de ses blessures. Les yeux écarquillés, un rictus béat à la gueule, la bête n'offrit plus alors de résistance. À grands coups enragés, Tomass acheva le cœur-brasier, sous les yeux ébahis de Neverek et de deux ou trois villageois que la peur avait paralysés sur place.

Chauve et fumant, nu comme un ver, Tomass semblait venu d'un autre monde. Reprenant son souffle, les kerpans tenus de part et d'autre du corps, toisant le terrible adversaire terrassé, il avait de quoi alimenter les légendes locales pour les prochaines générations. Lui-même n'en croyait pas ses yeux.

Il émergea de sa torpeur lorsqu'un pan de la maison s'écroula sous la fougue de l'incendie. Sans craindre le feu, il plongea dans le brasier d'où il sortit Salomé avant qu'elle ne soit la proie des flammes. Salomé respirait, mais elle était évanouie. Son visage était couvert d'ecchymoses et de sang séché. Elle vivrait, mais aurait à son tour besoin de quelques soins.

Neverek les rejoignit aussitôt. Il bouscula Tomass et prit sa mère dans ses bras.

— Elle s'en tirera, Neverek, dit doucement Tomass.

— Va-t'en! Fiche le camp, une bonne fois pour toutes! Laisse-nous! Va-t'en, maintenant! l'implora le garçon.

S'en aller. Il ne lui restait plus que ça à faire. Rejoindre Jékuthiel. Inutile d'en rajouter. Le soir tombait. Il avait une bonne route à faire avant d'atteindre le passeur. Il n'y serait pas avant la nuit, si ses jambes voulaient bien le porter jusque-là. Il se saisit de ses kerpans et les remit dans leur fourreau. Il mit la main sur sa besace fumante. Il en tira quelques écus et donna le reste à Neverek avant de lui tourner le dos.

— Tomass !

— Tu connais mon nom ?

Neverek s'était levé. Il avait retiré sa chemise et ses bottes et les lui tendait. Tomass ne comprenait pas trop, mais le jeune homme le pria d'accepter. Il lui donna aussi son pantalon et sa ceinture. Sa façon de le remercier, malgré tout. À son tour, Tomass le remercia. Il enfila les vêtements mal ajustés à sa taille, fixa les fourreaux à la ceinture, salua subtilement le pauvre Neverek en larmes et fila sur la route qui le mènerait de l'autre côté de l'île.

7

LE PASSEUR

D'après ce que Tomass avait compris, le passeur se trouvait sur l'autre rive de l'île. Pour Tomass, cela signifiait s'aventurer au-delà du plus lointain horizon que ses yeux avaient pu observer depuis son Mythill natal. Il en avait le cœur serré, mais ne voyait guère d'autre option.

À chaque pas, l'intensité dramatique des événements récents déclinait. L'état d'urgence fit bientôt place à un simple empressement : il fallait rejoindre Jékuthiel avant l'aube. Libéré de l'écrin de peur et de rage qui lui avait fait négliger sa douleur, Tomass constatait l'étendue des dommages que lui avait infligés le troll. Sa peau avait résisté à l'étreinte brûlante du cœur-brasier. Il ne portait aucune véritable plaie, hormis quelques ecchymoses. Cependant, les flammes avaient considérablement asséché sa peau, qui semblait vouloir se fendre à chaque mouvement. Il en était quitte pour plusieurs bonnes ampoules avant d'atteindre l'autre côté de l'île.

À la tombée du jour, Tomass reprit son souffle au sommet d'une falaise de la côte ouest de l'île des Sorciers. Sa peau était horriblement irritée, et il n'osait pas imaginer ce à quoi il devait ressembler. Il était maintenant chauve, sans sourcils ni même cils, vêtu de vêtements qui ne lui allaient pas et que sa peau fragile tolérait difficilement. Son fléau pendait toujours à son cou – il s'en était maintes fois assuré.

Scrutant un horizon crépusculaire, il distingua ce qui semblait être un petit quai. Il n'y avait aucune embarcation aux alentours.

— Le quai du passeur, en conclut-il.

Environ une heure plus tard, il avait enfin déniché la route qui menait près du quai en question. Il dévala la pente sur des jambes qui réclamaient un peu de repos. Il déboucha sur le quai de bois où il tomba à genoux.

— Ça y est, gémit-il. Souffler un peu, enfin.

Reprenant des forces assis sur le quai de bois vermoulu, il explora du regard son environnement. Pas de passeur en vue. Il remarqua le câble épais qui était tendu de part et d'autre de la rivière, mais l'obscurité ne permettait pas de voir où il aboutissait. À part le quai éclairé de quelques torches, il n'y avait à proximité nulle autre installation. En outre, de ce côté de la rivière aucune embarcation qui puisse permettre de traverser n'était visible. Tomass en déduisit que le passeur devait se tenir sur l'autre rive. Il fallait donc l'appeler.

Il se leva lentement sur ses jambes endolories et clopina vers une cloche dorée à demi cachée dans une boîte de bois fichée sur un pieu. Il en agita fermement le battant à quelques reprises. La cloche tinta vivement.

Rien. Aucune réponse depuis l'autre rive. Tomass essaya une autre fois. Toujours aucune réponse. Les mains sur les hanches, il attendit.

Soudain, le câble vibra de secousses qui n'étaient dues ni au vent ni au courant. Le passeur était en route.

— Bon. Il n'y a plus qu'à attendre, j'imagine.

L'attente s'avéra longue. Il fallut une bonne heure avant que Tomass distingue une lueur. Une brume épaisse et magnifique s'était levée et donnait à la rivière une allure de nuage sombre. Assis dans l'ombre du quai, ses bottes dans les mains et les pieds dans une eau qui apaisait ses démangeaisons, Tomass attendait impatiemment que le passeur le rejoigne.

Il remarqua bientôt que le passeur n'était pas seul. Il y avait deux cavaliers sur la barge.

— Un cheval. Qu'est-ce que je donnerais pour un cheval ? admit-il.

Les cavaliers étaient sombrement vêtus. Leur cape voletait doucement sous le souffle timide du vent. Quelque chose intrigua alors Tomass : les chevaux portaient des têtières à cornes.

— Des fomors !?

Tomass se plaqua contre le quai et observa de nouveau.

— Saloperie ! Je ne rêve pas. Ce sont deux fomors !

Tomass trouva curieux que ces fer-vêtus aient emprunté la barge d'un passeur, eux qui avaient la sinistre habitude d'apparaître et de disparaître, voyageant par le Royaume de l'Ombre.

— Pas de doute, ce sont bien des fomors, confirma-t-il d'un autre regard furtif. C'est à croire que c'est moi qui les attire !

Cette idée fit son chemin dans l'esprit de Tomass. Et elle ne le rassura point.

Il ne devait pas être vu. Il était jusque-là resté à l'écart du quai et de la lumière des torches. Il était encore possible que les fomors ne l'aient pas aperçu. Par contre, il était impératif qu'il traverse avec le passeur dès maintenant. Il faisait déjà nuit noire, et il était encore loin de l'auberge et de Jékuthiel. Or, nul doute que le pauvre bougre qui manœuvrait la barge s'en retournerait aussi vite que possible loin du mystère de ces guerriers dès qu'il les aurait débarqués.

De nouveau bousculé par les événements, Tomass remit prestement ses bottes et s'enfonça doucement, sans bruit, dans l'eau froide de la rivière.

— Courage, Tomass. C'est froid, mais il te faut tenir un moment.

Il fit de son mieux pour nager sans trop faire de clapotis. Il jaugea la vitesse de la barge, apparemment mue par un seul homme. Il arriverait à la rattraper à la nage. Mais pour le moment, il lui fallait profiter de la brume et de la rivière pour se dissimuler.

La barge passa bientôt près de lui. Au sein des compagnies carouges, Tomass avait entraperçu les mystérieux fomors à quelques reprises. Mais jamais il ne s'était retrouvé aussi près. La seule occasion où il avait toisé un fomor, cela avait été dans les Hameaux, deux lunes plus tôt, et l'incident avait coïncidé avec une vision dont il payait chèrement le prix.

Il tenta de chasser de son esprit l'idée que l'incident puisse se répéter ; perdre la tête dans cette eau froide promettait d'être funeste. Il riva néanmoins des yeux intéressés sur les cavaliers noirs.

Hormis les étranges fers qui laissaient au sol des traces caractéristiques et leur têtière cornue, les chevaux noirs n'avaient en apparence rien de surnaturel. Les fomors, eux, n'avaient rien de naturel. Tomass se demandait d'ailleurs pourquoi son sixième sens était jusqu'ici resté silencieux en présence des fomors. Qui donc étaient ces cavaliers sombres? Qui était leur chef? Quel sombre dessein servaient-ils?

Tomass chercha quelques indices à leur accoutrement. Leur armure était légère: un haubert long, impeccable, des bottes de cuir noir plaquées de lattes de métal, à peine usées, des gantelets articulés, sobres, mais de confection fine et robuste à la fois, une cotte de cuir noir à plates. Leur cape était noire comme la houille, sans reflet aucun, comme si elle avait absorbé toute lumière. À la taille était attaché un fourreau d'où dépassait une garde finement travaillée d'un art inconnu. Accroché au caparaçon, pendant aux côtés du cheval, le fameux bouclier fomor gravé d'un symbole: ⩏ . Et finalement, le triste heaume de métal sombre, fendu en X comme pour rappeler le mutisme légendaire des fomors, et à travers lequel n'étaient visibles ni œil ni bouche.

Hypnotisé par cette proximité téméraire, Tomass en oublia presque le froid qui le tenaillait. Alors que les destriers amorçaient leur descente par l'extrémité de la barge qui avait lourdement heurté le quai, Tomass en profita pour nager furtivement vers l'autre. Les fomors débarquèrent, sans un mot, sans un souffle, sinon celui de leurs destriers. Comme Tomass l'avait anticipé, le passeur fit pivoter son engrenage et l'actionna aussitôt en sens inverse, dans un grincement précipité.

Lorsqu'il jugea la barge suffisamment éloignée de la rive, Tomass se hissa à bord dans un grand effort. Le passeur, surpris de voir ainsi un voyageur impromptu requérir ses services, ne put retenir un cri.

— Chut ! Pas si fort !

— Qui êtes-vous ? Que me voulez-vous ? hurla le passeur en détresse.

— Rien qui justifie que vous hurliez de la sorte. Voudriez-vous rappeler ces monstres ? lui demanda Tomass en pointant la rive qu'ils venaient tous deux de quitter.

— Non, pour sûr !

— Alors, soyez plus discret, je vous en conjure.

Tomass put voir le visage du vieil homme

sous son capuchon. Ce corps, fort vigoureux pour un âge aussi avancé, tremblait d'épouvante. Les fomors l'avaient grandement impressionné, et il lui tardait de regagner un lieu plus sûr. Tomass réalisa qu'il inspirait peut-être lui aussi une certaine crainte à cet homme.

— Oui, je sais, j'ai l'air un peu curieux, admit Tomass en se passant la main sur le crâne. Il m'est arrivé sur l'île un petit incident.

L'homme détourna le regard et se contenta de manœuvrer sa barge.

— Y en a-t-il encore pour longtemps ?

— Je fais ce que je peux, figurez-vous. Je ne suis même pas certain de tenir ce rythme jusqu'à la rive. J'ai au moins aussi hâte que vous de toucher terre. Aidez-moi plutôt, et vous serez quitte de péage pour cette fois.

Tomass accepta volontiers.

8

Révélations

— J'ai rêvé de ta musique, dit Tomass en s'éveillant.

Tomass avait rejoint l'auberge tout juste avant que le veilleur n'éteigne sa lanterne. Il avait été aussi soulagé de retrouver le ménestrel avant qu'il ne quitte l'auberge que ce dernier de le voir arriver. Les discussions avaient été brèves, cependant. Tomass, épuisé, avait rapidement succombé au sommeil.

— Alors, tes rêves ont été assurément plus doux que les miens, répondit le ménestrel. Comment te sens-tu ce matin ?

— Mieux qu'hier. Plutôt bien, en fait, s'étonna Tomass.

— Tant mieux, alors. Tu faisais peur, hier soir.

Tomass passa sa main sur son crâne dégarni comme pour s'assurer qu'il n'avait pas rêvé les événements de la veille. Sa tête était toujours aussi chauve. Sa peau ne lui sembla pas si irritée, cependant.

— Tu guéris vite, à ce que je vois.

— Oui, apparemment, dut admettre To-mass, incrédule.

— As-tu encore un peu d'or?

— Assez pour régler la chambre.

— Ça ne sera pas nécessaire. L'aubergiste me l'a offerte. Du reste, tant que tu voyageras en ma compagnie, tu n'auras guère à te soucier du gîte ou de ta pitance. Par contre, avec la route qui nous attend, tu seras mieux servi avec d'autres vêtements et de meilleures bottes.

— Au rythme où j'use mon équipement, il me faudra vite trouver de quoi remplir ma bourse. Mais j'ai encore de quoi me donner un air moins grotesque.

— Il est vrai que ta rencontre avec le cœur-brasier t'a changé, dit Jékuthiel sur un ton empreint d'un doute sarcastique.

— Tu ne me crois pas?

— On n'a pas vu pareil troll depuis la fondation des Sept Royaumes. Cela dit, je n'en suis pas à une surprise près, et, avec tous les événements bizarres des derniers temps, je suis prêt à envisager l'insolite. En outre, à te voir, il t'est bien arrivé quelque chose, hier!

Jékuthiel mit la touche finale à son paquetage.

Il invita son compagnon de chambre à faire de même.

— Qu'ont donc de si extraordinaire les célébrations alfimes pour qu'on se presse ainsi ?

— Si tu ne te hâtes pas, tu ne le sauras jamais.

La route s'annonçait très longue. Ils partaient avec le solstice et marcheraient plus d'une lune. Celle d'Azira, la dernière lune du printemps du calendrier commun, touchait à sa fin. Ils voyageraient toute la lune de Jher durant et atteindraient les bois de l'Engoulevent avant celle de Mondha, ainsi nommée en l'honneur de la déesse mère.

Au Morcen, la lune de Jher n'était pas particulièrement chaude, mais le temps était sec en cette période de l'année. De l'autre côté des bois qui servaient de frontière entre le Morcen et l'Éthrandil, le temps serait beaucoup plus chaud et humide, et la lune de Mondha promettait son lot de pluies.

Les routes du Morcen qui longeaient la côte étaient achalandées. Si les nobles et autres richards y voyageaient accompagnés de milices privées, l'on pouvait y circuler sans trop risquer d'y être importuné par de quelconques détrousseurs, pour peu que l'on délaissât la route pour la sécurité des bourgs la nuit venue.

Plus au sud, près des bois de l'Engoulevent, il faudrait redoubler de prudence. Les bois en question inspiraient grande crainte aux Morcenos. L'on ne s'en approchait guère, et les derniers bourgs fréquentables se situaient plusieurs pas au nord des premières lisières de la grande forêt. Le voyage apporterait assurément son lot d'imprévus. Jékuthiel et Tomass se hâtèrent donc sur une longue route où ils eurent maintes occasions de discuter.

— Je t'en prie, Jékuthiel! implora un jour Tomass. Cesse cette musique! Cette mélopée me fend le cœur.

Jékuthiel mit fin au morceau avec lequel il s'était tiré à lui-même quelques larmes.

— Je ne vois pas ce qui peut t'inspirer ainsi. Le soleil brille, l'air est frais, l'horizon me semble agréable…

— En effet, rien de cet instant n'aurait su m'inspirer ce requiem, car c'est bien de cela qu'il s'agit. Je n'ai point improvisé ce morceau. La mémoire m'en est revenue à la vue du tertre que nous avons croisé tout à l'heure. Je me suis rappelé une bien triste cérémonie mortuaire dans la Nécropole où j'ai joué…

— Holà! Jékuthiel! Serait-ce le fait de raconter des légendes qui te fait confondre mythe et réalité de la sorte?

— Sache que je ne mens jamais! s'indigna

Jékuthiel. Je préfère les demi-vérités, c'est plus commode. Du reste, à côté de ton histoire de cœur-brasier, je ne vois pas ce qu'il y a de…

— Allons ! Ne me prends pas pour une cervelle d'ure ! Tout le monde sait bien qu'on ne va pas simplement jouer de la musique à la Nécropole. L'air y est pestilentiel, des spectres y rôdent, et l'endroit est truffé de pièges mortels.

Jékuthiel s'esclaffa.

— Ma foi, Anghelis, c'est toi qui t'embrouilles dans les histoires de bonnes femmes. Comment peux-tu prêter foi à de telles sottises ? Allons ! Réfléchis un instant. Par quelle ironie un endroit aussi sinistre aurait-il pu mériter le titre de Septième Royaume, je te le demande ? Comment l'Archimage aurait-il pu ériger sa dernière demeure en si triste lieu ? Voyons, Anghelis, ça ne tient pas debout de toute évidence.

Tomass braquait sur le ménestrel des yeux dubitatifs.

— Je vois bien à quoi tu fais référence : le Premier Sanctuaire, sans aucun doute, reprit le ménestrel. Je ne sais pas pour les spectres, mais il en émane une étrange odeur, il est vrai, et l'on dit en outre que les gens avisés ne s'y aventurent guère. Mais le Premier Sanctuaire ne compte que pour une très petite partie de la Nécropole.

— Est-ce là une autre de tes demi-vérités ? demanda un Tomass presque convaincu.

— J'ai souvent été dans la Nécropole, je te l'assure. J'y ai joué maintes fois, en l'honneur de rois, de reines, de princes et autres dignitaires. Les sasgarls mis à part, je suis probablement de ceux qui fréquentent l'endroit le plus régulièrement. C'est un lieu très ancien, empreint d'une grande nostalgie et qui invite à l'humilité et au recueillement. Il m'a maintes fois inspiré. Parmi mes plus belles pièces ! C'est un endroit extraordinaire ! Et à bien des égards, le sanctuaire de Nixis l'est aussi, à sa manière.

— Qui c'est, celui-là ?

— Le Premier Sanctuaire. Celui auquel tu faisais allusion…

— Je parle de Nixis. Qui est Nixis ?

— La cinquième magiarke.

— La cinquième magiarke ? Je croyais qu'ils étaient quatre ! s'étonna Tomass.

— Ils étaient douze, au début, en fait…

— Ça, tout le monde le sait. Mais ils ne sont que quatre maintenant, n'est-ce pas ? Quatre seulement ont survécu à la chasse aux morrighas.

— Il est dit que l'Archimage, puissant maître des runes, voulut porter secours aux peuples unis et solidaires qui luttaient contre les morrighas. Il leur légua ses enfants, les douze magiarks, qui unirent leur force magique évanescente à celle des mortels. Des douze, cinq survécurent. Des sept qui tombèrent au combat, l'on ne retrouva que quatre corps. Leurs dépouilles furent amenées dans ce qui allait devenir le Premier Sanctuaire de la Nécropole. Selon les légendes, ce serait Nixis qui aurait inhumé ses frères et sœurs. C'est elle qui aurait initié les premiers gardiens de la Nécropole, les sasgarls, aux rites sacrés de la momification. On lui attribue également le pouvoir des pierres dans lesquelles sont emprisonnées les morrighas. N'as-tu jamais entendu parler du chant de Nixis ?

— Si, enfin, je crois… maintenant que tu en parles. Mais je ne savais pas qu'il s'agissait d'une magiarke.

— Peu le savent, puisqu'elle a disparu depuis plus d'un siècle. Repose-t-elle dans son propre sanctuaire ? Secret de fomor. Au demeurant, elle a emporté son chant avec elle, un secret sur lequel elle avait juré de veiller comme sur ses frères et sœurs magiarks.

Tomass cogita silencieusement sur les révélations de son compagnon. Mais quelques coudées plus loin, il l'interrogea de nouveau :

— As-tu vu le tombeau de l'Archimage ?

— Ne s'en approche pas qui veut, mais oui, je l'ai vu.

— Et la Pierre? La Pierre aux runes?

— Oui. J'ai vu la Pierre aux runes également.

— L'énigme insoluble, marmonna Tomass pour lui-même, soudain fasciné.

— Aucune énigme n'est insoluble, mon jeune ami, affirma haut et fort Jékuthiel, qui l'avait entendu.

Décidément, Jékuthiel émiettait tous les dogmes sur lesquels Tomass appuyait ses convictions. Les mains sur les hanches, l'ex-carouge attendait des explications convaincantes de son interlocuteur. Celui-ci récita plutôt un curieux poème :

En Kalorn, à Nelcast
Le chacal exigea les trois clés du songe.
Nelcast demanda
De quelles clés il s'agissait.
Le chacal répondit :
« Celles qui produisent une nyctale. »
Nelcast demanda encore
De quelles clés il s'agissait.
Le chacal répondit :
« Celles dont l'union donne
les fontaines de Kalorn. »
Nelcast demanda de nouveau
De quelles clés il s'agissait.
Le chacal répondit :

« La plus grande est plus simple
que les deux autres. »
Alors, Nelcast
Rejoignit le songe du chacal.

— Je n'y crois pas, finit par dire Tomass, après quelques hésitations. Ne me dis pas que c'est là l'énigme de la Pierre ?

— Pour peu que la traduction soit fidèle, si !

— Je croyais l'énigme en runes ? Personne ne parle les runes. Pas même les magiarks.

— Les enfants de l'Archimage ne parlaient pas les runes, à l'origine, en effet. Le peuvent-ils maintenant ? Qui sait ? Mais il y a bien quelques érudits qui prétendent pouvoir le faire. Il y a maintenant d'autres mages puissants dans les Sept Royaumes. La magie n'est plus l'apanage des seuls magiarks. Et si leur magie est ancienne et probablement apparentée à la magie runique des Valcrims, maintes autres formes de magie sévissent aujourd'hui, dont certaines très impressionnantes, je puis te l'assurer. Et l'on raconte que d'autres pierres gravées de runes ont été découvertes depuis, même par-delà les Sept Royaumes.

— Je demeure sceptique malgré tout, admit Tomass. Cette énigme n'a pas de sens.

— Le propre de toute bonne énigme, au premier regard. Mais cela ne la rend pas insoluble.

— N'empêche. J'ai du mal à concevoir qu'un texte aussi court – et aussi connu apparemment – ait pu résister à près de sept siècles !

— Le temps ne fait rien à l'affaire, Anghelis. Et l'énigme n'est pas si connue. Mais qui aurait intérêt à en trouver la solution ?

— Mais… Mais… bien des gens ! Assurément !

— Qui, par exemple ?

— Qu'en sais-je ? Il y a des dizaines de personnes dans les Hameaux seulement qui saliveraient rien qu'à la pensée de toute la gloire et la reconnaissance que pareil exploit leur procurerait ! Penses-y, Jékuthiel ! L'Archimage !

— Eh bien, justement, Anghelis ! S'il y avait rumeur de trésor fabuleux ou de pouvoir incommensurable, légions se seraient attaquées à l'énigme. Mais, pour peu qu'il s'y trouve, qui voudrait déranger le repos éternel de l'Archimage ?

— Pour peu qu'il s'y trouve ? Ma foi, j'ai rencontré bien des menteurs, oiseaux de malheur et autres conteurs de sornettes, mais des iconoclastes dans ton genre, ça jamais ! Tu oserais sérieusement mettre en doute qu'il s'agit du tombeau de l'Archimage ? Même les magiarks sont formels…

— Un instant, mon ami ! l'interrompit Jékuthiel. Combien de magiarks as-tu rencontrés personnellement? Pour ma part, exception faite de Nixis, bien sûr, j'ai croisé la route de chacun d'entre eux. Et ma foi, je les crois plus nuancés sur la question. Du reste, je ne dis pas qu'il ne s'agit pas d'un ouvrage de la main de l'Archimage, ni même que sa dépouille ne repose pas derrière la Pierre aux runes. Je dis seulement que, puisque personne ne l'a jamais franchie, personne ne sait ce qui se trouve de l'autre côté. Les magiarks pas davantage que quiconque. Si l'on considère ce tombeau comme celui de l'Archimage, c'est parce qu'il est gravé de runes – la langue des Valcrims, dont l'Archimage était le dernier représentant – et que ce tombeau a été découvert peu de temps après que l'Archimage eut disparu.

Tomass se perdait en confusion. Jékuthiel démolissait ses illusions à grands coups d'affirmations balancées comme autant de vérités. Pour éviter d'être submergé, Tomass dévia la conversation.

— En fin de compte, qui es-tu donc, Jékuthiel le ménestrel, pour savoir tant de choses?

Ce fut le luth à la main que Jékuthiel répondit:

Je suis le vent qui chante, je suis être de légende
Le rossignol quidam, le loup blanc de la lande

J'ai chanté dans vos chaumières
Je suis l'écho de vos misères
Je suis dans l'âtre le feu
La lumière de vos cieux
J'ai colporté vos rumeurs
Raconté vos grands bonheurs
Parlé votre langue et la leur
Suis mémoire de vos malheurs

Je suis le vent qui chante, je suis être de légende
Le rossignol quidam, le loup blanc de la lande…

Tomass ne l'écoutait plus. Il profita de ce que Jékuthiel avait éludé la question pour réfléchir davantage. Il reprit la route machinalement. Jékuthiel lui emboîta le pas.

À bien des égards, le Morcen ressemblait au Mythill. Les deux royaumes étaient de superficie semblable. La route que les deux voyageurs empruntaient serpentait entre des collines couvertes de hautes herbes et où affleurait çà et là un roc gris et dur. La richesse inégale du sol ne se prêtait pas partout à l'agriculture, et les fermes étaient surtout rassemblées autour de hameaux qui rappelaient à Tomass la région du même nom de son Mythill natal. De temps à autre, on voyait paître au loin les troupeaux de moutons.

Un peu plus au sud, les collines avaient fait place à la plaine parsemée d'arbres, parfois agglutinés en futaies ou en véritables petites forêts que la route contournait invariablement. Par-delà le fleuve qui coupait le Morcen en deux, le relief avait changé. La terre était plus aride, l'herbe rase faisait parfois place à une végétation rabougrie balayée par le sable ocre de la côte. La pierre du sol était plus présente et plus friable. À cette latitude, il fallait, aux dires de Jékuthiel, prendre les routes qui entraient loin dans les terres vers l'ouest pour retrouver un sol fertile. Les deux hommes avaient néanmoins réussi à se ravitailler dans les quelques villages portuaires qui ponctuaient la route côtière.

Ils étaient toujours dans le Morcen, encore loin des bois de l'Engoulevent, lorsque Tomass se permit une hypothèse impromptue. Le ménestrel venait de terminer un morceau empreint de tristesse et de rage que Tomass devinait ne pas avoir été inspiré par l'ambiance du moment.

— Est-ce ce tourment auquel tu as un jour fait allusion qui t'a inspiré cette mélopée?

Jékuthiel s'arrêta net. Il dévisagea Tomass. L'homme à la barbiche fronçait des sourcils dérangeants.

— C'est juste que... ta musique parle, en quelque sorte. D'une façon bien singulière, il me semble. Elle exprime ce que les mots ne sauraient dire, Jékuthiel. À un point que j'ai encore du mal à admettre, d'ailleurs, s'excusa presque Tomass. Ne te fâche pas... C'est une sorte de compliment, je suppose.

Jékuthiel esquissa un étrange sourire qui le fit presque grimacer.

— J'ai aussi mes soucis, et il me les faut exprimer à l'occasion. Et puisque je suis musique, alors c'est là l'exutoire tout désigné, n'est-il pas? Je suis désolé de te l'imposer.

— Ne t'en excuse pas. C'était... sublime... d'une certaine façon.

Jékuthiel grimaça de nouveau.

— Et qu'as-tu compris de cette musique, Anghelis?

— J'y ressens une frustration profonde. Une grande colère. Une envie de... de...

— Tu t'y es reconnu, n'est-ce pas, Anghelis? Cette envie de crier au monde ce que tu es, ce dont tu es capable! Un peu de reconnaissance, en lieu et place de cette injustice! Cette cruelle injustice...

Jékuthiel s'était tu. Sa main s'était crispée sur le manche de son luth.

— Quelle est cette injustice qui te tourmente ainsi?

— Je suis aussi en exil, Anghelis. Ni vraiment alf, ni vraiment humain, je suis apatride. Oh! Je ne dis pas que je souhaiterais m'établir en un lieu précis et cesser de parcourir les Sept Royaumes. Mais qu'on me considère autrement que comme un étranger, un intrus, un musicien.

— Un musicien? Mais n'est-ce pas ce que tu es?

— Tu ne comprends pas, Anghelis, répondit Jékuthiel en lui secouant les épaules. Je ne suis pas qu'un musicien. La musique n'est pas qu'un futile divertissement. Il y a plus! Tellement plus! Mais ils ne le voient pas. Pour eux, je ne suis que le saltimbanque. Je les fais tantôt rire, tantôt pleurer par mes virtuosités. Puis ils me montrent la porte… jusqu'à la prochaine fois. Je suis la mémoire des Sept Royaumes, mais ils n'ont cure de mes conseils. Qui prêterait foi aux histoires du barde?

— Je suis désolé.

— Il est désolé… Ils sont tous désolés. Mais un jour… Bientôt, jura Jékuthiel pour lui-même.

— Puisque tu connais les Sept Royaumes mieux que quiconque, et puisque aucune énigme n'est insoluble, pourquoi ne résous-tu pas celle de la Pierre aux runes? lança maladroitement Tomass.

La suggestion fit l'effet d'une boutade à laquelle riposta Jékuthiel du tac au tac :

— Et pourquoi pas ? Tu m'en crois incapable ? Pourquoi Jékuthiel ne serait-il pas celui qui résoudra l'énigme insoluble ?

Jékuthiel toisa un Tomass intimidé. Il prit ensuite un air résigné et poursuivit :

— Il est une autre raison pour laquelle l'énigme de la Pierre n'a toujours pas été officiellement résolue : les fomors !

— Tu connais le secret des fomors ?

— Par l'Archimage ! s'esclaffa Jékuthiel. Non ! Bien sûr que non ! Secret de fomor, s'il en est un. Personne ne connaît LE secret des fomors.

— Comment sais-tu qu'ils ont un lien avec l'énigme de la Pierre aux runes ?

— Personne ne le sait, mais certains le supposent. Vois-tu, on sait depuis longtemps qu'il existe une série de stèles gravées de symboles singuliers ici et là dans l'Ombre de la Nécropole, autour de l'endroit où reposerait l'Archimage. Il y aurait même une autre Pierre aux runes, dans l'Ombre elle aussi. Comme un miroir du tombeau.

— Coïncidence, l'interrompit Tomass. Je conçois mal que l'Archimage, notre sauveur à tous, ait pu édifier quoi que ce soit dans le

Royaume de l'Ombre. Dans le royaume des morrighas!

— N'en sois pas si sûr, Anghelis. L'Archimage était avant tout un Valcrim, le dernier de la race des Puissants. Et si le Royaume de l'Ombre est un monde sinistre et empreint de maléfices, il constitue néanmoins un accomplissement grandiose, sans doute le plus impressionnant de tout le fait valcrim. Et de surcroît, réalisé à la face des dieux eux-mêmes! Le symbole par excellence de la grandeur de la civilisation valcrime aujourd'hui disparue! Une civilisation à la mémoire de laquelle l'Archimage s'était voué corps et âme, et ce, malgré le fait que le Royaume de l'Ombre a toujours été le repaire des créatures du mal.

De nouveau, les révélations de Jékuthiel avaient rendu Tomass perplexe. Celui-là poursuivit néanmoins son explication.

— Comme je le disais, il y aurait, dans l'Ombre de la Nécropole, des stèles marquées d'étranges symboles à l'endroit même où devrait s'élever, dans la Lumière, la tombe de l'Archimage. Or, il y a un siècle et demi environ, un tremblement de terre aurait fracturé le sol de l'Effrith Khyr et y aurait révélé les vestiges d'une cité. Avides de s'emparer des richesses qui auraient pu s'y trouver, les Khyrans firent valoir que la cité se trouvait dans leur royaume et s'en décrétèrent les propriétaires légitimes. Il ne semble pas qu'on y ait trouvé de trésor, mais on y fit une découverte singulière: les murs de ce qui semblait être les vestiges d'un temple étaient gravés de nombreux symboles inconnus des Khyrans. Devant leur incapacité à déchiffrer lesdits symboles, ils firent appel aux magiarks. L'on constata alors qu'il s'agissait de symboles d'une même nature que ceux des stèles de la Nécropole.

— Serait-ce Kalorn, dont l'énigme fait état?

— À l'époque, personne n'avait encore déchiffré le texte de la Pierre aux runes. Je doute donc qu'on ait alors pu faire cette hypothèse. Les Khyrans baptisèrent l'endroit Valgrad…

— La cité maudite, chuchota Tomass.

— Oui, Valgrad, la cité maudite de l'Effrith Khyr. Les choses tournèrent mal, en effet. L'on fit trois codex des symboles en question. Aussitôt, pour des motifs inconnus, les fomors se mirent à rôder. Avant longtemps, ceux et celles qui avaient participé à l'exploration de la cité ensevelie se mirent à souffrir d'un mal étrange qui mettait fin prématurément à leurs jours. L'on invoqua une quelconque malédiction avec la cité maudite, et l'on en fit murer l'accès. Cependant, l'incendie de la grande bibliothèque de Thetrakis où l'on avait placé un des trois codex fut attribué aux fomors. Et on les vit rôder autour d'Heirador jusqu'à ce que le magiark Axiwand use de son pouvoir pour emmurer dans une des tours de la cité le document maudit.

— Et le troisième codex?

— Les rumeurs le disaient en la possession de Nixis…

— Tout cela est fascinant, mais je ne suis toujours pas convaincu d'un quelconque lien entre les fomors et l'Archimage. Qui plus est, avec les trois codex hors de portée et Valgrad emmurée, pourquoi les fomors rôderaient-ils toujours?

— Depuis la fondation des Sept Royaumes, on a toujours vu rôder les fomors. Rien ne nous dit qu'ils rôdent plus ou moins qu'auparavant. Toutefois, il semble que tu ne sois pas au courant.

— Au courant de quoi?

— Le codex d'Heirador a été dérobé!

Les propos de Jékuthiel revêtaient un aspect intéressant qui invitait Tomass à quelque méditation. La science du ménestrel était vaste. Il prétendait connaître toutes sortes de gens fascinants ici et là dans les Sept Royaumes, dont une Ondalve clairvoyante qui pourrait bien aider Tomass à sonder ses visions, et chez qui il avait dit vouloir le conduire. Rien, cependant, ne garantissait que le ménestrel ne fût point tartarin à ses heures. Après tout, cet homme avait voué sa vie à l'art de raconter des histoires et il avait candidement admis escamoter la vérité à son gré. Toutefois, Jékuthiel n'était pas que du vent. Pour trouver de l'eau ou un endroit sûr où monter le camp, il n'avait nul besoin des talents de survie de Tomass. Il donnait l'impression de savoir exactement où il allait et quel chemin prendre, peu importe qu'il se trouvât dans les landes de Namor, dans la vallée de la Lordogne ou en pleine nature morcenos. Jékuthiel les menait maintenant vers les bois de l'Engoulevent. Le ménestrel ne paraissait pas inquiété outre mesure, mais il admettait que les fameux bois qu'il leur faudrait traverser pour gagner l'Éthrandil abritaient des urkians, des sylphes et quelques autres périls dont il valait mieux être prévenu. Autant de menaces qu'il déclamait avec la même désinvolture dont il avait fait preuve alors qu'il dansait avec Filigriane, la fée des bois. Le ménestrel était plus qu'un simple musicien, Tomass en convenait. De là à distiller le fait de la fable…

La route vers les bois de l'Engoulevent fut longue, mais plutôt agréable et sans grande intrigue. Ils firent le plein de provisions à quelques reprises. Tomass se délesta de plusieurs écus en échange de nouveaux vêtements. Ils discutèrent de nombreuses choses sous un ciel clément. Tomass parla un peu de lui, mais ce furent les nombreuses aventures de Jékuthiel qui meublèrent l'essentiel de leurs échanges. Il affirma avoir joué à toutes les cours des Sept Royaumes. Il se vantait d'avoir visité le petit peuple et d'être l'ami de l'Échomancien, le mage sinople, qui de tous les habitants des Sept Royaumes était probablement celui qui connaissait le mieux le Mitgarth. Ce dernier répondait aussi au nom de mage sans terre. Pour peu que les légendes qui circulaient au Mythill fussent vraies, on disait de la magie du Mitgarth qu'elle rivalisait avec celle des magiarks. Elles disaient aussi que personne ne savait où le trouver ni comment faire pour le rencontrer.

Tomass sentit se tisser quelques liens alors que Jékuthiel et lui relataient candidement l'un ou l'autre détail de la route qu'ils avaient parcourue ensemble. Il apprit comment Jékuthiel en était venu à commander la grand-chasse et même comment pratiquer lui-même l'enchantement qui lui avait valu le plus formidable vertige qu'il eut jamais éprouvé.

C'est donc le cœur presque léger que Tomass

atteignit l'orée des bois de l'Engoulevent. Presque léger, en effet, car le temps s'écoulait, son temps, comme le sable d'un sablier terrifiant. Et depuis la terrible sentence des Nornes, sa quête n'avait guère progressé, lui semblait-il. Le pays alf serait-il à la hauteur de ses attentes ? Ou souffrirait-il de la déception vécue chez Brigga ? Devant cette forêt de mystères, Tomass retourna un soupir résigné au sourire complice de Jékuthiel. Ils franchirent ainsi la lisière des bois et disparurent dans l'épaisse végétation.

Tout aguerri qu'il fût à la vie en forêt, Tomass appréhendait néanmoins l'ambiance des bois de l'Engoulevent. Attentif au moindre détail de son environnement, il trouva bientôt du crottin de cerf et de chevreuil, gibier de choix pour l'urkian. Ce grand prédateur chassait tantôt dans les bois, tantôt dans la lande. La grande taille de cette bête aux allures félines en faisait probablement le plus grand fauve que Tomass ait jamais rencontré. Il fut d'ailleurs soulagé de trouver aussi loin de chez lui de la *gibrelle*, une herbe dont il tira un sifflement strident. Il instruisit Jékuthiel du fait que pareil sifflement faisait se tordre de douleur le plus furieux des urkians. C'était là un bon moyen d'éviter de fâcheux affrontements avec ces bêtes aussi mortelles qu'élégantes. Jékuthiel prétendit, lui, se satisfaire de sa musique pour tenir éloignées les bêtes sauvages.

À la tombée du premier jour de route dans la luxuriante forêt, Tomass fit la connaissance des engoulevents. Les oiseaux crépusculaires se mirent à voleter telles des chauves-souris. Une poignée au début, puis des myriades. Un étrange concert de cris et de plaintes envahit alors les bois. Hormis un air de flûte inspiré de cette ambiance étourdissante, aucun autre son ne parvint à trouver écho dans la danse des engoulevents, ni vent, ni chant, ni coassement. Cette étrange musique semblait surgir des tréfonds des bois. Tomass se sentit submergé par cette vague sonore comme nulle nuée de corbeaux croassant n'eût pu le faire. Il se couvrit la tête, esquivant les engoulevents qui sifflaient près de ses oreilles. Du coin de l'œil, il vit Jékuthiel, assis sur une pierre couverte d'une épaisse mousse, les yeux fermés, qui se taillait, grâce à sa flûte, une place au sein du concert aviaire. Son compagnon semblait s'enivrer de la puissance du moment comme on s'émerveille respectueusement de la magnificence d'un vent de tempête.

Les deux voyageurs marchèrent encore quelques jours dans les bois. Ils suivaient le seul chemin qui s'apparentait à un sentier.

— Le seul que les sylphes toléreront nous voir emprunter, précisa Jékuthiel.

Tomass ne voulut pas provoquer les malices du petit peuple et mit plutôt à profit ses talents d'ex-carouge pour se familiariser avec ce qui, en fin de compte, comptait parmi les plus magnifiques endroits qu'il avait contemplés. Une toile profonde où se mariaient mille et mille verts. Tout était recouvert de mousse. La végétation grimpait vers le ciel et en pleuvait tout à la fois. Pour qui savait écouter, la forêt semblait parler, changeant de discours selon l'heure du jour. En maintes occasions, Jékuthiel en tira de délicates improvisations. Et tous les soirs, les engoulevents donnaient leur concert.

Ils virent bien quelques cerfs, mais, d'urkian, aucune trace. Aucun sylphe ne vint les importuner non plus, et Tomass faillit bien vivre son baptême des bois de l'Engoulevent sans anicroche aucune. Mais deux jours avant de sortir de la forêt, l'oreille alerte, il entendit une lame quitter son fourreau. Faisant volte-face, il n'eut pas le temps de parer le coup de Jékuthiel, qui siffla près de son oreille droite. Il se jeta à couvert et dégaina aussitôt ses deux kerpans.

Il constata alors que le coup ne lui était pas destiné. Il entendit le bruit étrange d'un animal qui se convulsait et fut éclaboussé de gouttelettes d'un sang noir.

— Des *trators*! annonça Jékuthiel en pointant sa lame vers un reptile coupé en deux. Ces serpents se confondent avec les racines qui affleurent. Celle que tu t'apprêtais à saisir t'aurait réservé une mauvaise surprise.

Un coup d'œil rapide permit à Tomass de repérer quelques autres reptiles habilement camouflés parmi les racines noires des arbres. Le reste du chemin se fit donc moins désinvolte.

— Comment une telle lame est-elle venue en la possession d'un ménestrel? demanda Tomass, un peu jaloux.

— Cadeau du Mitgarth, répondit Jékuthiel. Comme quoi, lui au moins a su reconnaître la valeur du ménestrel.

L'impertinence de Tomass avait vexé Jékuthiel, le privant ainsi des détails de l'histoire. Il dut se contenter de quelques coups d'œil discrets sur une garde finement travaillée en coiffe à un fourreau de même qualité, ce qu'il avait jusque-là pris pour une simple épée d'apparat. Un cadeau du Mitgarth, le mage sans terre; Jékuthiel avait d'étranges fréquentations. Si quelqu'un pouvait aider Tomass à se libérer de son fléau, c'était sans aucun doute le Mitgarth. Jékuthiel était-il vis-à-vis de lui en des grâces suffisantes pour lui en adresser la requête? L'heure était mal choisie de s'en informer.

9

LA PIERRE D'HEIRADOR

Jékuthiel et Tomass avaient à peine parcouru quelques pas en terre alfime que déjà galopaient vers eux deux magnifiques destriers. Les cavaliers stoppèrent leur monture en travers du chemin des deux voyageurs et les tinrent à portée de leur lance. Ils braquèrent sur eux des yeux inquisiteurs. Tomass ne put que deviner ce que leur demandèrent les deux Alfs, mais il reconnut aussitôt la langue sylvestre.

— Qui êtes-vous, étrangers ? Quels desseins vous amènent en Éthrandil ?

— Chassez cette inquiétude que je puis lire sur vos visages, nobles amis, car nous ne somment ni brigands ni…

— Nous ne sommes pas amis, que je sache, étrangers. Déclinez votre identité sur-le-champ, ou il vous en coûtera ! coupa l'Alf en abaissant sa lance vers la poitrine de la piétaille.

— Je suis Jékuthiel, ménestrel de renom. Et sachez, monsieur l'estafette, que je suis ami du peuple orialf par la volonté même du seigneur Baldillian de la Maison de la licorne !

Disant cela, Jékuthiel tendit une main ornée d'un anneau de bois de chêne originel, fruit d'un minutieux travail alfim.

— Ainsi donc, voilà le fameux Jékuthiel, répondit l'autre, sans excuses aucunes dans le ton de sa voix. Soit. Il n'est pas en mon pouvoir de m'opposer à la volonté d'un seigneur de si haute maison. Nous irons donc annoncer la venue du ménestrel ami des Alfs. Il nous faudra toutefois informer les nôtres de la venue d'un étranger avec lui. Ne pourrait-il se présenter ?

— Cela lui est impossible puisqu'il ne parle pas encore votre langue, mon ami. Il se nomme Tomass Anghelis. Il vient du Mythill et voyage en ma compagnie.

— On raconte que d'étranges choses se trament chez les humains du nord depuis quelques lunes.

— On colporte bien des âneries ici et là dans les Sept Royaumes. J'en sais quelque chose. Toutefois, en ce qui concerne mon compagnon, n'ayez aucune crainte. Si de quelconques soucis pesaient sur son âme, il n'aurait cure de les partager.

— Il n'est guère usuel de porter chevelure si courte et hirsute en nos terres. M'est avis que cela n'est point non plus la coutume au nord. Le bougre serait-il malade ?

— Que nenni ! Cette allure est le fruit d'une mésaventure que je n'ai pas le cœur de vous conter. Mais son sang est vif, son cœur pur et son bras vaillant. Cela, vous pouvez le colporter.

Jékuthiel et les deux sentinelles échangèrent encore quelques futiles civilités, puis ces dernières prirent congé et s'éloignèrent, portées par le galop de leurs destriers.

Pour Tomass, le pays alfim s'avéra une succession de surprises et d'émerveillements. Il se représentait les Alfs comme des individus de grande taille au port altier et sévère, aux longs cheveux cendrés, à la peau blanche immaculée. Il se les imaginait toujours bien vêtus de vert et de gris scintillants. Les deux sentinelles du premier jour le confortèrent dans cette impression. Juchés sur de fortes bêtes, les Alfs en imposaient. Leurs bottes étaient ouvrage de fine cordonnerie. Ils étaient de mailles vêtus, pourvues de pièces d'armure équestres. Un des deux Alfs portait les cheveux tressés, l'autre était coiffé d'un heaume léger et gardait sa longue chevelure cendrée sur les épaules. La lame de leur pertuisane révélait l'art alfim, mais ce fut la façon singulière de porter la chemise attachée à l'épaule qui raviva chez Tomass le souvenir des marins alfs, épiés aux Havres, dans sa jeunesse.

Tout le contraire de cette impression fut celle de Tomass dans les premiers villages qu'ils traversèrent. Debout à côté de lui plutôt qu'à cheval, les Alfs ne semblaient plus si imposants. Par ailleurs, Tomass ne s'était pas imaginé qu'il puisse exister des Alfs miséreux. Pourtant, il ne trouva pas dans les bourgs sylvestres de ces verts et de ces gris scintillants, apanage des lignées nobles et fertiles. Là, il reconnut plutôt les blancs tachés, les gris ternes et les ocres sales des faubourgs de Melkill. Les cheveux y étaient mats et enchevêtrés. Il y planait une odeur d'urine, d'excréments, d'ail et de mandragore. La peau blanche y était maculée de crasse et prenait des allures cadavériques. Toutefois, quelque chose donnait à ces gens un air curieux qui ne seyait guère à autant de misère. «Ce sont les dents», prétendit Jékuthiel. Les sourires étaient rares chez ces gens froids, et Tomass dut être attentif pour valider la thèse de son compagnon. Il y parvint néanmoins. Si, au Mythill, misère rimait avec sourire noirci sinon édenté, ici, même les plus humbles gens semblaient avoir une denture à faire rougir d'envie les belles dames du Melkill bourgeois. Pour le reste, cependant, la misère mythillienne n'avait rien à envier à sa contrepartie alfime. Les masures étaient de bois vermoulu et semblaient pousser comme des champignons entre des arbres épuisés, désormais trop rares pour soutenir la population. Devant le dédain à peine masqué de Tomass, Jékuthiel lui promit de le réconcilier avec la civilisation alfime d'ici à ce qu'ils aient rejoint la capitale.

Tomass n'était pas au bout de ses découvertes. Les deux hommes avaient depuis longtemps épuisé leurs provisions et s'étaient sustentés de baies, de champignons et de plantes. Dans les bois, ils avaient réussi à rôtir un ou deux lièvres et un savoureux petit chevreuil. Mais en Éthrandil, Jékuthiel avait entrepris de faire découvrir à Tomass la nourriture locale. Ce dernier vécut l'épreuve avec quelque difficulté. Encore loin des côtes où le poisson abondait, il en fut quitte pour une diète végétarienne. L'avalanche d'herbes et d'épices inconnues se mariait laborieusement dans une bouche inaccoutumée à tant de bouquets et de parfums. Il succomba au piège de l'ivresse des liqueurs de sèves et des eaux-de-vie corsées, au grand amusement des Orialfs, immunisés contre les effets de l'alcool. La viande se fit rare et trop fumée à son goût. Le pain, par contre, d'une grande variété chez les Orialfs, fut son réconfort. Tantôt léger, tantôt consistant, de farine fade ou parfumée, le pain s'avéra son seul véritable souvenir agréable de l'art culinaire local. Il en fit quelques provisions, et même quelques abus.

Aux côtés de Jékuthiel, Tomass apprit beaucoup sur les Ondalfs et les Orialfs de l'Éthrandil : que ceux-ci vivaient dans les bois et portaient la *loven* – la chemise de clan – bouclée à gauche, que ceux-là vivaient plutôt près des rivages et attachaient la loven à droite. Il apprit aussi que chaque clan était défini en fonction d'une lignée matriarcale, que chacun avait une étoffe propre et unique dont on confectionnait la loven et qui se reconnaissait aussi à la boucle la retenant à l'épaule. Jékuthiel expliqua que la longévité des Alfs – cinq vies d'hommes – était accompagnée d'une fertilité fragile. Les naissances étaient rares, et les mères fécondes étaient à la tête de clans prestigieux. Toujours d'après Jékuthiel, les Alfs étaient des gens étranges attachés au pouvoir des mots et capables de délibérer des lunes durant. Cela était dû à une notion du temps différente, cadeau de leur longévité ; une notion du temps à la source de maints différends avec les gens des autres royaumes.

— Des différends avec les autres royaumes? Ne sommes-nous pas en paix? N'est-ce pas là le legs des héros fondateurs de jadis? N'avons-nous pas tous été unis dans la lutte contre les morrighas?

— En effet. Les Sept Royaumes sont *officiellement* en paix, et tous célèbrent d'une façon ou d'une autre cette grande fierté. Dans les faits, cependant, cette solidarité s'est étiolée et n'est plus guère qu'une tradition prétexte à de puériles activités festives. Aucun des royaumes n'oserait pour l'heure saborder cette grande illusion de fraternité. Mais si les humains du Mythill et du Morcen, les royaumes frères, s'invectivent de part et d'autre de la Lordogne, imagine le mépris réciproque qu'entretiennent les Ondalfs et les Khyrans!

Tomass connaissait encore assez peu le peuple alfim. Du peuple khyran, il ne savait pratiquement rien, sinon que, chez lui, l'on qualifiait volontiers les Khyrans de nains. Les anciennes légendes en avaient fait de vaillants guerriers montagnards, mais l'on se moquait beaucoup de ce que l'on imaginait de leur physionomie, et l'on convenait aisément des frictions que devait entretenir un tel peuple vis-à-vis de la nation alfime, une nation dont la culture était aux antipodes de celle des Khyrans.

En route vers Heirador, Tomass connut d'autres surprises qui tinrent davantage de l'émerveillement que de la déception. Ils longèrent quelques jours durant la Brenen, traversée par plusieurs ponts de bois ou de pierre, que Jékuthiel ne daigna pas emprunter. Il souhaitait arriver à Heirador par la grande porte, quitte à prendre une demi-journée de plus.

La rivière creusait maintenant de profondes gorges qu'une étrange route longeait: la Ten'Brenen, le tunnel luxuriant. Ils longèrent ainsi le canyon de la Brenen à l'intérieur d'une très longue galerie aménagée à même l'enchevêtrement des racines des saules cultivés au sommet des falaises. Sur plusieurs pas, la Ten'Brenen était si vaste que des carrosses s'y croisaient, tirés par quatre chevaux à l'aise. Au crépuscule, le soleil y peignait une ambiance de cathédrale. «Rien de comparable à la cathédrale de cristal!» avait assuré Jékuthiel. Tomass avait du mal à imaginer endroit plus merveilleux.

C'est ainsi qu'ils atteignirent le pont de la Ten'Brenen. Il était entièrement supporté par les racines des arbres, projetées au-dessus du vide de part et d'autre du ravin, tels des bras solidaires tendus les uns vers les autres. Tomass éprouva à le traverser une impression qui flirta dangereusement avec celle qu'il avait éprouvée lors de la grand-chasse. Mais sous ses pieds où se mirait une eau lointaine, les racines ne bronchèrent ni ne vacillèrent sous le souffle du vent. Elles ne grincèrent pas davantage que le merisier des planchers des manoirs mythilliens.

Sur l'autre rive les attendait Heirador, la cité des tours. C'était le quatrième jour de la première semaine de la lune de Mondha. Il ne restait plus à Tomass que deux cent quinze jours avant de se présenter devant les Nornes. Ce temps compté qui s'égrainait commençait à prendre l'allure d'un étau qui se resserrait autour de son âme, tel un trator sur sa proie. Ce pincement au cœur privait Tomass d'une jouissance pleine et entière du panorama saisissant qui se dévoilait un peu davantage à chaque pas.

Le pont de la Ten'Brenen donnait sur l'autre rive, là où deux immenses arbres, d'une essence inconnue de Tomass, dressaient leurs imposantes racines en une arche tressée comme une dentelle végétale et sous laquelle passait la route.

De l'autre côté, les deux voyageurs s'engagèrent dans l'allée des Chênes. Jékuthiel expliqua que la majorité des arbres de la cité avaient été plantés par les Alfs. Les plus vieux atteignaient six ou sept cents ans, mais d'autres étaient plantés chaque année. La cité elle-même était comme un véritable jardin, une ville cultivée. Les arbres ancestraux, ceux qui avaient vu le jour avant la chasse aux morrighas, avant la fondation des Sept Royaumes, étaient maintenant rares. L'allée des Chênes, par contre, était presque exclusivement bordée de tels arbres dont certains devaient avoir plus de mille ans. La route serpentait entre ces majestueux végétaux qui portaient fièrement leur âge. Même les habitants de la cité semblaient encore admirer avec beaucoup de respect ces forces de la nature entre les feuilles desquelles le soleil dessinait de fabuleux clairs-obscurs.

Au bout de l'allée des Chênes, Jékuthiel ralentit subtilement sa cadence et laissa Tomass le précéder vers le belvédère qui surplombait la cité d'Heirador. Il entama doucement un chant alfim qui produisit l'effet escompté. Tomass en eut le souffle coupé et ne put réprimer la montée de larmes qui lui embuèrent les yeux. À n'en pas douter, il n'avait jamais rien vu d'aussi beau. Il comprit le sens de l'expression « ville cultivée ». La cité d'Heirador s'étendait à perte de vue. Un peu à l'image des Havres du

Mythill, elle était adossée à une falaise, moins abrupte cependant, mais ô combien plus vaste! Le bois et la pierre s'épousaient parfaitement. Le spectacle était tellement surprenant aux yeux du Mythillien, qu'il n'arrivait pas à tout saisir. Les gens vivaient tantôt dans la cime des arbres, tantôt dans d'immenses demeures tressées à même les racines d'arbres de tailles et d'essences aussi variées que la couleur de leurs feuilles ou de leurs fleurs. Entre ces maisons végétales s'élevaient des demeures de pierre d'une architecture très différente, tels des monuments dans un immense jardin. Certaines tours culminaient si haut qu'elles rivalisaient avec la cime des plus grands arbres. Ici volaient des passerelles d'une tour à une autre. Là galopaient des chevaux entre quelques fontaines alimentées par de frêles aqueducs. Et si certains quartiers semblaient exiger quelques réfections, si d'autres n'avaient pas encore atteint une pleine maturité, l'ensemble donnait l'impression d'être le fruit grandiose d'une planification minutieuse.

Lorsque Jékuthiel acheva son chant et que Tomass reprit son souffle, ce dernier crut entendre la ville parler. En contrebas de l'immense escalier qui se déversait au cœur de la cité, on dansait et chantait. Des Alfs étaient masqués et costumés.

— Ce sont les célébrations de la Pierre d'Heirador. Plusieurs ont commencé à festoyer, on dirait, lui souffla Jékuthiel.

Tomass ne se souciait plus guère des célébrations. Peu lui importait qu'elles soient grandioses. Le spectacle qu'il découvrait à l'instant valait à lui seul le déplacement.

Empruntant le grand escalier, ils furent lentement avalés par la cité d'Heirador.

En contrebas, ils déambulèrent quelque temps dans ce lieu étrange jusqu'à ce que Jékuthiel les mène tous deux vers une auberge près du port. Les étrangers étaient rares chez les Orialfs, mais à Heirador, capitale et cité portuaire ondalve, il arrivait que les navires étrangers en régurgitent quelques-uns. Ils se retrouvaient alors à cette auberge. Jékuthiel y séjournait à chaque passage. On l'y reconnaissait : situation pratique qui allégeait les frais de voyage. Qui plus est, quel meilleur endroit pour mettre à jour son éventail de nouvelles fraîches des Sept Royaumes ?

— Logerons-nous ici cette nuit, Jékuthiel ? Je croyais que tu devais me mettre en contact avec quelque herboriste ou clairvoyant ?

— Pas ce soir. Les célébrations commencent officiellement demain avec le rite de la Pierre. Puis il y aura les célébrations de la bonne nouvelle. Je doute que le moment soit bien choisi.

Aucune de ces personnes ne sera disposée à t'entendre ce soir.

— Alors quand?

— Sois patient, Anghelis. En temps et lieu. Bientôt.

Tomass avait l'impression qu'on lui parlait comme on parle à un petit garçon impatient. Visiblement, Jékuthiel était davantage préoccupé par ses propres projets immédiats que par la situation de Tomass. Cependant, le ménestrel n'avait probablement pas menti. Tomass allait devoir être patient. Il attendit que son compagnon lui indique leur chambre pour y chercher un sommeil réparateur et abandonner Jékuthiel à son auditoire.

La chambre en question était petite, mais douillette. Le matelas du lit était constitué d'une immense poche d'une étoffe inconnue remplie d'une masse de billes que Tomass devina être des noix ou autres fruits séchés. Le tout était enveloppé de draps épais et chauds. Trop chauds, peut-être, en cette saison estivale fort humide. Cela dit, ce lit qui crépitait à chacun de ses mouvements procurait un étonnant confort. Tomass dormit d'un sommeil profond, quoique agité.

Il s'éveilla à l'aube, comme à l'accoutumée. Il n'y avait pas de route à parcourir ce matin-là, cependant. Tomass ne résista donc pas à l'envie de reposer sa tête sur l'oreiller de plumes. Il se rendormit. Un repos allongé qui dénoua quelques autres courbatures léguées par autant de nuits de trop à la belle étoile.

Quand il rouvrit les yeux de nouveau, il devait être près de neuf heures. Cette fois, il s'assit et jeta un œil alentour. Il retrouva ses préoccupations en même temps que Jékuthiel, assoupi sur la carpette, au pied du lit. Depuis quand était-il là ?

Quelques frottements d'yeux et profondes inspirations plus tard, sans mot dire, Tomass se leva. Il croisa son propre regard dans le miroir de la commode. Il hésita. Allait-il vraiment se présenter dans cet état ? Aurait-il eu son poignard en sa possession qu'il eût bien tenté un rasage et de menus ajustements capillaires. À quoi bon ? Qui s'intéresserait à lui, ici, de toute façon ? Il revêtit sa chemise, se débarbouilla comme il le put avec l'eau d'une cruche et remonta les marches vers le rez-de-chaussée de cette auberge d'un genre singulier. Il émergea comme prévu dans une salle commune où d'autres, comme lui, avaient encore un matin difficile gravé sur le visage. Il héla maladroitement le tenancier et mima son désir d'obtenir de quoi manger. Il fut entendu, mais l'on refusa qu'il paie son petit déjeuner. Le regard de l'aubergiste suggéra que la faveur n'avait pas été motivée par un excès de philanthropie. Quoi qu'il en soit, il trouva l'eau claire et fraîche, les fruits juteux et le pain agréable.

C'était un petit déjeuner frugal pour un estomac carouge, mais Tomass n'eut pas l'occasion de s'en préoccuper outre mesure, car il fut rejoint par un Jékuthiel silencieux. Ce dernier obtint la même nourriture, qu'il avala lentement sans même regarder son compagnon de table. Tomass n'insista pas. Il n'entama pas la discussion. Il n'avait rien à dire et n'osait pas harceler son compagnon à propos de sa promesse. Il feignait le calme et la désinvolture. Jékuthiel mit un terme au supplice avec sa dernière bouchée de pain.

— Viens!

Tomass obtint finalement son rasage. L'on s'occupa aussi de ses cheveux. Jékuthiel l'avait conduit dans une somptueuse demeure qui ne pouvait qu'être celle d'un clan respectable. N'entrait pas qui voulait, mais le ménestrel avait des contacts. On le lava et le maquilla. Il fut vêtu élégamment d'étoffes alfimes, mais l'on fit en sorte qu'il passe pour un étranger, comme si son teint et ses cheveux noirs n'avaient pas suffi à l'étiqueter comme tel. Tomass comprit assez tôt qu'on ne se préoccupait pas de son apparence en vue d'une quelconque séance de spiritisme. Jékuthiel le voulait plus présentable pour les célébrations. Tomass se prêta au jeu. À quoi bon protester ? Il n'obtiendrait rien de Jékuthiel tant que celui-ci n'y serait pas disposé et, du reste, il y avait bien quelque chose de satisfaisant au fait de se sentir propre et beau. Qui plus est, Tomass ne se souvenait pas d'avoir jamais porté de vêtements aussi bien taillés. Les bottes avaient fière allure, l'étoffe de sa chemise était légère et semblait respirer avec lui. Bien rusé le loup pourpre qui eût pu le défier tant il se sentait léger et agile ! Pour ajouter à l'agrément, parmi les Ondalfs qui s'affairaient autour de lui se trouvait une charmante et presque gironde domestique qui lui rappela le doux souvenir des courbes féminines mythilliennes.

Lorsqu'il fut fin prêt, il retrouva son compagnon avec qui il monta à bord d'une voiture tirée par deux magnifiques chevaux. Ils prirent part à une procession de véhicules alfs à laquelle Tomass ne se sentit convié que parce qu'il était le protégé du fameux ménestrel. Jékuthiel, lui, ne pouvait dissimuler une certaine excitation.

Tous convergeaient vers une colline mythique, bien à l'écart de la cité, où se déroulerait la cérémonie de la Pierre.

De longues minutes plus tard, ils furent invités à descendre de leur véhicule et à s'asseoir sous des abris de verdure offrant un point de vue privilégié sur le spectacle à venir. Tomass, se laissant guider par le groupe, en profita pour observer la Pierre d'Heirador. Il avait vu à maintes reprises celle de Brunask, au Mythill, pour avoir assisté aux cérémonies en son royaume. La Pierre d'Heirador n'avait rien de semblable à celle de chez lui. Elle était plus grande, d'un autre grain. Elle se tenait droite, tel un obélisque sur un socle. Le rocher dont elle était issue avait été taillé, la laissant fière et solennelle au centre d'une esplanade propice au rite annuel. La Pierre d'Heirador exerçait sur Tomass la même fascination que celle de Brunask. Il y avait quelque chose de rassurant et d'inquiétant à la fois dans cet écrin. Savoir qu'en son cœur sommeillait une des plus terrifiantes créatures que ne comptèrent jamais les Sept Royaumes depuis la fin de la guerre de Domination avait de quoi faire frémir. Même les douze magiarks jadis réunis n'avaient pas su terrasser une seule morrigha ! Jusqu'à ce que… jusqu'à ce que l'on trouve à les emprisonner, à les endormir, chacune dans une prison lithique propre. Et ce soir, le magiark Uluriak marcherait vers la Pierre et en sonderait le cœur. Par le rite ancien, il annoncerait la bonne nouvelle : que la morrigha d'Heirador sommeillait toujours dans sa geôle.

La foule se massait rapidement autour de l'esplanade. Plusieurs étaient costumés et masqués. On dansait et jouait de maints instruments. Se faufilaient sur l'esplanade quelques acrobates et cracheurs de feu. Le tout se confondait en une cacophonie qui déplaisait manifestement à Jékuthiel, silencieux à côté de Tomass. L'on avait disposé le bois pour les feux cérémoniels, et l'allée principale menant à l'esplanade avait été dégagée pour la venue du magiark et de son cortège. Çà et là, des fêtards avaient allumé leurs propres feux qu'ils alimentaient de poudres inflammables multicolores. La foule était agitée et fébrile. La nef du magiark avait accosté au port la veille. Bien entendu, l'accès en était interdit à tous, sauf aux autorités locales, et le prestigieux personnage s'était bien gardé de se montrer en public.

Du bourdonnement désorganisé de la foule émergea enfin une rumeur cadencée qui remplaça rapidement la clameur de l'assistance. Une procession avançait dans l'allée. Tomass devina bientôt les percussionnistes qui faisaient vibrer les languettes de bois d'un singulier instrument pendant à leur flanc. Ils marchaient au rythme lent de leur percussion, rythme sur lequel pipeaux, flûtes et bombardes jouaient une musique solennelle. La foule entonna bientôt un air inconnu de Tomass.

Ce préambule préparait la venue des initiés qui avancèrent sur l'esplanade. Le magiark investit la place lorsque les feux sacrés furent allumés. Il arriva, chevauchant un magnifique *leogapos*, une antilope ailée au pelage moucheté de brun et de jaune et aux longues cornes torsadées recourbées vers l'avant. Uluriak retira solennellement son grand manteau noir et or et se coiffa de la couronne des héros qu'il reçut des mains d'une représentante du pouvoir local. Tomass n'avait jamais vu la première couronne, la couronne de dame Laetitia. Elle donna au vénérable vieillard un air solennel fort impressionnant.

D'un chariot qui avait suivi la procession, les initiés s'affairaient à retirer un socle de pierre sculptée sur lequel ils adaptèrent un miroir auquel on avait donné dans les Sept Royaumes le vocable d'« Œil du temps ». C'est alors qu'Uluriak leva puis croisa sur sa poitrine les bâtons sacrés, les sceptres runiques. Entouré de ses initiés, il se retourna vers la foule et entama le traditionnel discours sur le courage et la mémoire des héros de jadis à qui les Sept Royaumes devaient la paix et la prospérité. Le discours étant prononcé en alfim, Tomass n'en comprit pas le détail, mais le ton était par trop semblable à ce qu'il avait entendu le magiark réciter tant et tant de fois au Mythill pour qu'il soit possible de s'y méprendre.

Lorsque Uluriak eut terminé, la foule l'acclama et reprit son chant émouvant. Le magiark fit ensuite face à la Pierre d'Heirador, la première geôle. Les initiés se déployèrent autour de lui alors qu'il prononçait une vibrante incantation. Il leva lentement les deux sceptres entre lesquels crépitèrent quelques éclairs. L'incantation terminée, un faisceau de lumière blanche jaillit des bâtons ancestraux et frappa la pierre. Deux initiés orientèrent aussitôt l'Œil du temps de telle sorte qu'ils puissent y scruter le reflet de la geôle lithique. D'interminables secondes plus tard, le miroir se ternit alors que la lumière s'évanouissait. Le magiark rappela ses bâtons à lui. Le rite prit fin lorsqu'il prononça les paroles tant attendues. Le vénérable Uluriak annonça la bonne nouvelle : la sorcière spectrale, la morrigha d'Heirador, était toujours emprisonnée !

La réaction fut immédiate. Comme si c'eût été le signal de départ d'une course effrénée, la foule s'anima instantanément en une explosion de joie et d'applaudissements. Si quelques badauds respectueux restèrent et se recueillirent au passage du magiark qui quittait l'esplanade, accompagné des initiés et dignitaires, les autres s'abandonnèrent plutôt à la danse, à la musique et aux liqueurs des jours de fête. Et de la colline de la Pierre, à plusieurs pas de la cité d'Heirador, la fête déferla sur la capitale de l'Éthrandil telle une onde joyeuse.

Tomass se sentait tout drôle, mais déjà Jékuthiel le pressait de le suivre. Ils gagnèrent la cité par une route libre de fêtards. Mêlés à ce qui devait être un échantillon de la haute société d'Heirador, ils ne descendirent pas vers le cœur de la cité. Ils bifurquèrent plutôt vers le sud, longeant la falaise.

Jusque-là, les célébrations alfimes n'avaient pas été à la hauteur des attentes de Tomass. La musique et les chants ondalfs, si exotiques fussent-ils, n'avaient pas de quoi faire rougir le chœur sacré de Brunask ni la puissance des cors mythilliens. Et rien de ce qu'il avait pu entendre à Heirador n'arrivait à la cheville des prouesses de son compagnon ménestrel. Les acrobates et les cracheurs de feu n'étaient pas non plus l'apanage des Alfs. Non, jusqu'ici, n'eussent été de la Ten'Brenen et de la vue saisissante qu'il avait eue de la cité à son arrivée, les célébrations alfimes n'auraient pu justifier tant de route parcourue. Au contraire, le contexte n'avait réussi qu'à lui donner le mal du pays. Mais Jékuthiel n'avait pas menti, et Tomass était sur le point de le constater.

Sur les talons du ménestrel, Tomass se trouva

bientôt sur un trottoir de bois qui longeait la falaise, suspendu au-dessus du vide, tout illuminé des nombreuses lanternes de papier qui le décoraient dans l'obscurité. La procession dont les deux compagnons faisaient partie se massa enfin devant un immense bâtiment qui s'était jusque-là dérobé aux yeux distraits de Tomass.

Telle une excroissance incongrue, une cathédrale semblait surgir de la falaise. Avant qu'ils aient pu admirer toute la finesse de l'architecture, Jékuthiel enjoignit à Tomass de le suivre à l'intérieur. Il y avait là de quoi le surprendre et l'impressionner.

Dans la cathédrale, l'air était plus frais, mais Tomass n'y prêta pas attention, tant ses autres sens étaient sollicités. Il y planait une curieuse odeur d'encens et de plantes aromatiques. Le Mythillien gagna machinalement la place que lui suggérait Jékuthiel sans trop comprendre que le ménestrel ne demeurerait pas à ses côtés dans l'assistance. Les yeux rivés sur le décor, tout ouïe, il se croyait prisonnier d'un rêve.

La cathédrale était de forme elliptique. L'un des foyers émergeait de la falaise et consistait en une immense voûte ceinte de vastes estrades qui couraient entre les colonnes et sous de fragiles aqueducs où coulait une eau cristalline. En maints endroits, d'immenses cristaux multicolores diffractaient la lumière de mille et une lanternes et illuminaient de grandes fresques peintes sur les murs. La cathédrale de cristal! L'architecture finement ouvragée de cette moitié du bâtiment épousait les caprices de la falaise brute à l'intérieur de laquelle était creusée l'autre moitié de l'ellipse. De la paroi du chœur coulaient maints filets de cette eau cristalline qui tantôt dégouttait librement, tantôt se voyait capturée par les canalisations serpentant ici et là dans la cathédrale. Accrochés au plafond de la voûte pendaient de lourds lustres entre lesquels coulaient de minces filets d'eau de source qui plongeait dans des fontaines, non sans faire tinter une clochette ici, une flaque là.

La cathédrale chantait! Et Tomass n'avait pas besoin de Jékuthiel pour le constater.

Un instant plus tard, le chant de la cathédrale se fit plus discret du fait d'une déviation de la course des sources. Un Alf vint adresser quelques mots à la foule. Sa voix se réverbéra et emplit aussitôt les lieux, ce qui conféra aux propos du maître de cérémonie une immédiate importance. Se succédèrent ainsi deux ou trois autres poètes qui s'adressèrent à l'auditoire. Étrangement, Tomass, qui ne parlait pas l'alf, fut néanmoins convaincu de saisir l'essence des propos qui emplissaient les lieux.

Il avait appris de Jékuthiel toute l'importance accordée par le peuple alf à la juste dénomination des choses. Il y avait au sein de ce peuple des grandes voix, c'est-à-dire des gens capables de prononcer les mots vrais. D'après Jékuthiel, il y avait dans certains concepts une essence qui transcendait le langage. Quiconque savait saisir cette essence pouvait prononcer le mot vrai. En ce jour, Tomass constatait que le ménestrel n'avait pas menti. Vérité, Humilité, Gloire, Respect… Tomass n'aurait pu répéter les mots vrais, mais il en avait compris le sens. Et la poésie alfime avait trouvé un chemin jusqu'à son âme l'espace de cet instant. Mais le réel émerveillement était encore à venir.

En contrebas, dans le chœur, s'alignèrent bientôt des femmes et des hommes vêtus de vert scintillant et d'ambre profond. Puis, d'autres. Puis, d'autres encore, et encore. Plusieurs centaines s'alignèrent ainsi. Devant eux deux ou trois dizaines de musiciens prirent place.Tomass ne s'y connaissait guère en instruments, mais il y devina plusieurs harpes. Il y avait aussi d'autres instruments, à cordes et à vent surtout.

Du chant maintenant discret de la cathédrale se dégagea enfin une musique cristalline et délicate. Elle évolua vite vers une lumineuse mélodie qui fit vibrer autant la pierre de la cathédrale que le cœur de l'auditoire, Tomass inclus. Au moment opportun, un chœur se joignit à la prestation avec un chant prégnant à soulever les montagnes. Déjà trop ému pour être à l'aise, Tomass fut bouleversé par l'arrivée de voix plus claires qu'il associa aux belles dames juchées sur de petites galeries suspendues aux parois de la cathédrale. Il fut submergé lorsqu'il reconnut la voix de Jékuthiel, claire, juste, parfaite, au milieu du plus merveilleux concert qu'il fût possible d'imaginer. Le ménestrel se tenait seul, une grande harpe vibrant sous ses doigts noueux, sur une balustrade qui dominait le chœur et les musiciens. La musique de Jékuthiel était de loin la plus belle qu'il avait jamais entendue. Ainsi amplifiée par les chœurs et les autres chants, dans l'acoustique parfaite d'une cathédrale chantante, elle touchait littéralement au divin.

Il sembla que Tomass ne fut pas le seul à être touché par la splendeur du spectacle. Nombreux étaient ceux et celles qui n'arrivaient pas à contenir leurs émotions; des larmes coulaient sur plusieurs joues. En d'autres circonstances, Tomass eût su se laisser enivrer. Il eût pleinement profité de ce frisson extatique qui lui parcourait l'échine et qui hérissait ses poils. Ce soir-là, cependant, l'expérience avait un arrière-goût désagréable. Elle lui braquait sous le nez son extrême solitude, sa présence incongrue dans ces lieux. Avant que le tout ne devienne insupportable ou intimidant, il préféra quitter l'endroit. Aussi discrètement qu'il le put, il se faufila entre les âmes en transe et s'extirpa de la cathédrale par un portillon. L'air du dehors le libéra un peu, mais de puissantes émotions l'assaillaient toujours. Les célébrations alfimes valaient-elles le détour ? Chose certaine, Tomass n'oublierait jamais cette nuit.

Il n'était pas question pour le Mythillien de rester simplement planté devant le portail de la cathédrale de cristal à attendre que le ménestrel vienne le délivrer de sa morosité. Tomass fit pire : il s'enfuit. Il emprunta en sens inverse le trottoir suspendu et descendit vers la cité dès qu'une volée de marches lui en offrit l'occasion. Il se trouva plongé au cœur des festivités d'Heirador. S'il parvint à retrouver son souffle et à laisser derrière lui l'incommensurable sentiment qui l'avait assailli dans la cathédrale, il ne se défit point de sa solitude. Partout, dans les rues et allées qui serpentaient entre les monuments et les maisons, tant au niveau des racines que sur les passerelles, on chantait, on dansait. Tomass fut vite bousculé par cette agitation telle une gouttelette d'huile refusant de se mélanger à l'eau. Il faisait de son mieux pour se convaincre qu'il s'en moquait, mais, à chaque pas, il se désorientait davantage, son fléau dansant dangereusement sous sa chemise. On se moqua et se joua de lui. On lui offrit à mauvais escient une bouteille d'une liqueur d'eucalyptus qui l'enivra aussitôt. Il fut alors source d'un amusement humiliant pour un public masqué et costumé. Tant pis. Il s'en enfila une autre rasade. Puis une autre encore. Il tituba entre d'autres fêtards qui le raillèrent de plus belle. Bientôt, il ne distingua plus ni ciel ni terre et se vautra à maintes reprises. Il tomba dans les bras d'une charmante Ondalve qui feignit de s'offrir à lui avant de l'abandonner, le derrière dans une fontaine. Quelques minutes plus tard, il s'affalait dans un enchevêtrement de branches et de racines où il succomba au sommeil.

Lorsque Tomass reprit connaissance, il faisait jour. Autour de lui, l'agitation s'était dissipée. Il n'en restait que le souvenir incarné par les pauvres hères trop épuisés pour avoir pu regagner leur demeure. Étourdi lui aussi, Tomass mit longtemps avant de retrouver l'auberge. Jékuthiel l'y attendait. Et le ménestrel n'avait pas l'air de très bonne humeur.

— Ça va, Anghelis? dit Jékuthiel sur un ton

sarcastique, sans même jeter un regard à celui qui investissait sa chambre. On ne t'a pas trop ennuyé, hier soir, j'espère.

— Mais, qu'est-ce qui te prend? Qu'est-ce que j'ai fait?

— La fête, apparemment. Et sans moi!

— Ça ne s'est pas exactement passé comme…

— Tu es encore sous l'effet de la liqueur d'eucalyptus, devina Jékuthiel aux gestes maladroits de Tomass.

— En quoi ça te regarde?

— En rien, certes. Tu fais ce qui te chante, du reste, même si cela veut dire fausser compagnie à celui qui t'a sorti du pétrin deux fois plutôt qu'une, alors qu'il te convie à l'une de ses plus prestigieuses prestations!

— Je suis désolé… balbutia Tomass, penaud. Je n'avais pas l'intention de…

— Tu n'avais pas l'intention de quoi? De te servir de ta tête? N'as-tu pas regardé autour de toi? Dans la cathédrale de cristal, n'entre pas qui veut, figure-toi! Encore moins pour les célébrations de la Pierre! Tu ne réalises pas le privilège qui t'a été octroyé de te trouver ainsi entouré de la haute société ondalve et orialve de l'Éthrandil. Tu n'as été admis en ces lieux que parce que tu étais mon invité. Quitter les lieux était un affront!

— Ça suffit! tonna soudain Tomass. Mais pour qui te prends-tu? Je veux bien te remercier à genoux pour ton aide, si tu veux, mais je ne serai jamais ton pantin! Si, plutôt que de curer le nombril de ton narcissisme, tu avais daigné m'informer de ce qui m'attendait, les choses se seraient peut-être passées autrement!

Tomass était en colère à son tour:

— Je ne suis pas simplement allé fêter. Si je suis parti, c'est parce que je n'arrivais pas à supporter ce que tu m'imposais. Tu sais très bien l'effet que produit ta musique sur les gens. Alors, imagine un peu l'effet sur celui qui doit vivre les cérémonies de la Pierre loin de chez lui, parmi des gens qu'il ne connaît pas et dont il ne parle même pas la langue! Comment crois-tu que je me suis senti dans un lieu pareil, tout seul, submergé par cette musique? Ton incroyable musique! J'ai fui, Jékuthiel! Comprends-tu? J'ai fui! C'est tout ce que j'ai trouvé à faire dans les circonstances. Je me suis noyé dans la foule avec l'intention de m'y perdre. Je me suis enfilé ce poison pour disparaître le temps de me ressaisir.

Les deux hommes se toisèrent un instant. Étaient-ce les aveux de Tomass à propos des effets de sa musique qui amadouèrent le ménestrel? Au demeurant, il sembla à Tomass que Jékuthiel n'était plus aussi irrité.

— Ça te passera, dit Jékuthiel en voyant Tomass ouvrir et refermer la main. Je ne sais pas trop ce qu'ils mettent là-dedans, mais même les Alfs, autrement insensibles à l'enivrement de l'alcool – les pauvres –, finissent par être étourdis par la liqueur d'eucalyptus. Tiens! Bois de l'eau fraîche. Va prendre un peu d'air. Et mange. Peu, mais mange quelque chose. Remets-toi sur pied autant que faire se peut. Il te faudra être en forme.

— En forme pour quoi? demanda prestement Tomass, qui espérait avoir deviné.

— N'ai-je pas une promesse à tenir? Allez! Va!

— Aller où?

— Qu'en sais-je? Tu dois bien connaître un moyen ou deux de dégriser.

— Et toi?

— Moi, j'ai encore quelques heures de sommeil à rattraper.

Tomass ne se fit pas prier davantage. Il fit ce que lui avait conseillé Jékuthiel. L'air chaud et humide de la lune de Mondha n'avait rien de vivifiant, mais il fut tout de même rapidement dispos. Après quelques bouchées – il ne se sentait pas capable de plus pour le moment –, il s'adonna à une danse martiale, armé de ses kerpans: sa méditation préférée. Il en profita ensuite pour explorer les alentours. Avant longtemps, il sut s'orienter dans la cité qu'il avait d'abord entrepris d'explorer au pas de course.

Tomass n'en laissa rien paraître, mais lorsqu'il vit Jékuthiel, le crépuscule venu, qui l'attendait devant l'auberge et qu'il comprit ce qui, selon toute vraisemblance, l'attendait alors, il eut l'impression d'avoir le cœur pris dans un étau. Il attendait et redoutait à la fois cet instant.

Les deux hommes marchèrent un bon moment. Jékuthiel le conduisit un peu à l'écart de la ville, près du rivage, où ils s'arrêtèrent à proximité d'une habitation construite sous les racines d'un grand arbre. Tomass la trouva bien terne comparée aux demeures d'Heirador. Elle lui paraissait moins bien entretenue, et il s'en dégageait des effluves empyreumatiques. Jékuthiel fit alors halte devant l'entrée de la maison.

— Qui suis-je censé rencontrer là-dedans? s'enquit Tomass.

— Claodina, quelqu'un qui s'y connaît en âmes perturbées.

Tomass hésitait. Il tripotait son fléau.

— Tu ne vas pas tout de même pas reculer maintenant?

— J'hésite à me présenter avec ça au cou.

— Tu as eu une vision avant de l'avoir, et

au moins une autre depuis… Je ne vois pas en quoi ça change quelque chose en ce qui concerne ce qui t'attend ici. Et quand bien même me confierais-tu ton fléau, c'est ton esprit que la spirite va sonder. Elle finirait bien par savoir.

— Qu'est-ce qui m'attend dans cet antre ?

— Ma foi, je n'en sais trop rien, avoua Jékuthiel. Tu me raconteras.

— Tu ne viens pas ?

— Je ne suis pas convié à la séance. Cela dit, je compte sur un récit détaillé des événements. J'en tirerai sûrement une ode intéressante.

Leur discussion fut interrompue lorsque, de l'enchevêtrement de racines, émergea une Ondalve vêtue de fines dentelles blanches. Son visage était sans émotion et ses yeux, vides, comme ceux de la jeune novice que Tomass avait rencontrée à Melkill. Curieux présage.

Trêve de rêverie. Il fut invité à suivre la femme, abandonnant Jékuthiel sur la grève. Sous les racines, une porte s'ouvrait sur un vestibule, qui paraissait plus vaste de l'intérieur. L'air y était humide et capiteux. À cette heure du jour, le soleil filtrait encore par les quelques ouvertures. Cependant, une bonne partie de la maison était construite dans le roc et rappelait en partie les masures troglodytiques des Havres. De nombreuses lanternes offraient à l'endroit un éclairage tamisé qui donnait aux murs, tentures et boiseries, une chaude couleur d'or et d'ambre.

Il ne lui fut pas possible d'explorer cette maison. Lentement, mais sans détour, Tomass fut conduit par la femme vers une petite salle où l'attendait une autre personne. Il s'avéra que l'Ondalve qui l'avait introduit dans ces lieux n'était pas Claodina, mais une assistante. Il fut surpris lorsque la véritable Claodina s'adressa à lui en langue commune humaine.

— Asseyez-vous, je vous prie.

— Oui… merci, murmura Tomass en s'exécutant.

Il prit donc place à une table ronde de petite dimension, au style sobre et discret, comme l'y invitait l'Ondalve. La chaise de bois était très confortable, malgré l'absence de coussin.

— Avez-vous faim ? Ou soif ?

Tomass déclina la première offre, mais accepta volontiers la seconde. L'autre femme lui apporta une tasse d'eau dans laquelle il trouva une feuille d'une plante qu'il ne reconnut pas.

— C'est pour la séance ?

— Non, c'est pour vous désaltérer.

Claodina s'assit à son tour, devant lui. Son assistante lui tendit un flacon d'huile parfumée dont elle s'enduisit les mains. Pendant ce temps, l'assistante roula un peu les manches de la chemise de Tomass et lui fit allonger les mains sur la table. Claodina les prit dans les siennes à la hauteur des poignets et se mit à lui masser délicatement le revers des mains avec ses pouces huileux. Elle recommença à le questionner, à propos de tout et de rien. Comment était le temps à cette époque de l'année dans son royaume? Quelle impression lui avait faite la cité d'Heirador? Comment s'y prenait-il pour traquer le gibier? Claodina semblait éviter tout sujet trop personnel qui l'eût privée de réponse. Qui plus est, il parut à Tomass qu'elle s'intéressait autant, sinon davantage à la façon dont il répondait à ses questions qu'aux réponses elles-mêmes. Il en était d'ailleurs quelque peu dérouté. Il n'avait pas imaginé un tel déroulement de sa rencontre avec la spirite. Il cherchait le piège, se demandait par quel prodige cet interrogatoire permettrait à l'autre de sonder son âme agitée. Par précaution, il chassait autant que possible les pensées compromettantes. Il trouvait Claodina charmante et intimidante à la fois. Sa désinvolte assurance, sa délicate silhouette, son visage sans âge, son accent suave. Il n'avait encore rien dit au sujet de ses visions, mais quelque chose dans le regard de son interlocutrice lui donnait l'impression d'être déjà percé de sa clairvoyance.

L'interrogatoire dura plus d'une heure sans que Tomass cherchât à s'enquérir de son utilité. Autour d'eux, l'on avait fait brûler divers encens et huiles parfumées. Il se mit à avoir chaud et sentit ses yeux piquer.

— Tu oublieras bientôt cette sensation. Elle est préalable à la séance.

— Préalable à… Tout ça ne comptait pas?

— Il fallait te préparer. Voilà qui est fait.

Claodina se leva, alors que son assistante quittait la pièce en fermant les tentures. La spirite prit alors un air plus grave et revint s'asseoir près de Tomass, les mains chargées de menus objets. Parmi ceux-ci, il y avait un poignard.

«Le sang. Pourquoi faut-il toujours qu'il y ait du sang?» se demandait Tomass.

Entre-temps, Claodina avait allumé une bougie supplémentaire qu'elle avait posée sur la table. Elle déroula ensuite un morceau de vélin qu'elle plaça devant lui. Empoignant le poignard, elle l'humecta d'un liquide clair à forte odeur puis glissa délicatement la lame dans la flamme de la bougie. La lame s'enflamma aussitôt. Elle s'éteignit d'elle-même au bout d'un instant, ce sur quoi elle lui tendit l'arme.

— Quelques gouttes suffiront. Laisse-les tomber sur le vélin.

À contrecœur, Tomass pratiqua une minuscule incision dans son auriculaire d'où il tira trois gouttes. Le fluide vital perla sur le parchemin, refusant de l'imbiber. Claodina trempa son index dans un flacon d'huile et étendit le sang sur le papier. Elle lui retourna ensuite les mains en supination.

— Tu es prêt?

— Je n'en sais rien.

La réponse, à l'évidence, lui convint. En lui massant gentiment les avant-bras, elle lui dit:

— Nous allons commencer. Cela peut être long. Ferme les yeux. Je te demande de résister à la tentation de les ouvrir. Il faut que tu te concentres sur ton monde intérieur, sur ton âme, sur tes souvenirs. Oublie où tu es. Oublie que je suis avec toi. Je vais te tenir les mains, mais il est possible que je bouge, que je bredouille des choses incompréhensibles ou que je tremble. Si tu te laisses distraire, je risque de perdre le contact.

— À quoi sert le vélin? se permit Tomass.

— Il sera ma mémoire. Lorsque la séance sera terminée, prends-le et va-t'en. Quitte alors immédiatement cette demeure sans regarder en arrière. Ne t'occupe pas de moi, quoi qu'il arrive.

— Je ne comprends pas…

— Au terme de cette séance, il se peut que je me meure d'amour pour toi, comme il est aussi possible que je veuille te tuer sur-le-champ. Si je puis laisser ton âme me parler, je ne puis effacer ce qu'elle gravera dans ma mémoire. Il se pourrait qu'elle y éveille des souvenirs laissés par d'autres…

— Pourquoi faites-vous cela ? l'interrompit Tomass.

— Il vaut mieux que tu ne cherches pas à comprendre. Tu dois te concentrer sur toi, sur ta mémoire, ta vision.

Elle était au courant pour sa vision ! Jékuthiel le lui avait dit. Bien sûr ! Comment aurait-il pu obtenir son aide sans un minimum de renseignements ?

Claodina mélangea deux ou trois liquides dans un petit bol et invita Tomass à en boire une bonne gorgée. Elle but le reste. Elle rapprocha ensuite les mains de Tomass et y posa une des siennes. L'autre serait tenue sur le vélin. Elle et lui fermèrent les yeux : la séance allait commencer.

Tomass tenta de faire ce qu'elle lui avait demandé. Il prit plusieurs bonnes inspirations et chercha à sonder son âme. Facile à dire. Il n'avait guère d'inspiration quant à la procédure à suivre. Rapidement, ses pensées divaguèrent sur maints sujets. Jékuthiel lui apparut souvent. Puis il pensa aux Nornes, qui avaient bien quelque chose à voir avec ses visions. Rien n'y fit. Il se sentit soudain honteux d'avoir des pensées coquines à l'endroit de la jeune novice de Melkill ou de Claodina qui lui tenait si tendrement les mains.

Après de très longues minutes d'un pesant silence, Claodina retira ses mains. Il ouvrit aussitôt les yeux. Le vélin était vierge ; le sang y perlait toujours. Claodina lui servit à nouveau du breuvage sirupeux.

— Je suis désolé.

Elle lui fit signe de se taire et de reprendre sa méditation. Ils replacèrent leurs mains, et ce fut reparti de plus belle pour une autre tentative. Elle ne fut pas plus fructueuse. Il reprit du curieux liquide une autre gorgée, puis une autre, longtemps après. Tomass commençait sérieusement à s'impatienter. Pourquoi cela ne marchait-il pas ? Il fallait que ça marche ! Il redoutait ce qu'il découvrirait au terme de l'exercice, mais il redoutait plus encore un échec. Où irait-il ? Vers qui se tournerait-il ? Il lui faudrait plus d'une lune pour retourner chez lui. Chaque pas plus avant dans ce royaume ou un autre l'éloignerait davantage et rendrait la nécessité de trouver une solution de plus en plus urgente. Jusque-là, l'éventualité de sa mort avait toujours été plus théorique que ressentie. Il avait compté sur la providence pour trouver la solution. Mais la peur d'un échec aujourd'hui lui faisait envisager sérieusement la possibilité qu'il ne soit pas à la hauteur de l'épreuve des Nornes. Retournerait-il chez lui pour y mourir? Serait-il condamné à l'exil comme l'avait prédit Jékuthiel? Son impatience se mua en colère puis en un sentiment humiliant d'impuissance. Il sentait ses yeux se mouiller.

Non. Pas cette fois encore. Il avait versé en peu de temps plus de larmes qu'il était convenable pour un carouge. Il lui fallait aller au-devant de sa vision. Cela devenait impératif. Il le ferait!

Était-ce sa colère soudaine qui lui avait permis de se concentrer? Ou était-ce plutôt cette montée émotive qui avait tissé le lien? Quoi qu'il en soit, des éléments de sa vision lui revinrent: cet étrange sentiment d'oppression, cette présence intangible, menaçante. Il revit les mystérieux bras décharnés, tendus devant lui comme s'ils étaient siens. Et tous ces gens effrayés qui le fuyaient et l'imploraient à la fois. Sa vision lui revenait, mais elle était plus claire, plus limpide. Il s'y abandonnait pleinement et n'avait pas conscience que, sur le vélin, le sang avait commencé à tracer des mots. Il ne réagit pas aux tressaillements de la spirite, pas davantage qu'à ce qu'elle balbutiait.

Il revit la vision au complet. Mais quelque chose lui paraissait clair, cette fois : ce n'était pas lui qui avait provoqué la vision. À chaque occurrence, elle avait été suscitée par quelque chose qui lui était extérieur. Pour une raison inconnue, il avait été réceptif à cette perturbation, mais n'en était pas l'auteur. Chaque fois qu'il avait eu cette vision, quelque chose de terrible s'était produit, quelque part. Elle semblait annoncer des événements à venir, mais elle était déclenchée par une calamité avérée. Mais quelle calamité ?

Alors que des mots s'écrivaient et s'effaçaient frénétiquement sur le vélin, Tomass cherchait à comprendre. Quelle était cette terrible présence qui le terrorisait tant et à laquelle il voulait pourtant faire face ? Il sonda encore plus profondément les replis de son âme à travers les portes qu'avait ouvertes la spirite en convulsions. Quelque chose s'était éveillé. Quelque chose de terrible ! Un cœur-brasier ? Non. Une entité bien plus terrifiante, qui drainait vers elle le mal et la vilenie. Celle qui avait tué Brigga, les carouges et qui avait bien failli les surprendre, Jékuthiel et lui, sur la Lordogne. Mais quoi ? Qui ?

Tomass plongea encore plus profondément.

Il vit une ombre, un monticule. Où était-ce? Puis ce fut le choc: Brunask! Le sanctuaire de Brunask. La Pierre. La Pierre du Mythill! Elle était fracturée! La morrigha était libre! Soudain prisonnier d'un maelström cinglant, il vit aussi la Pierre de Tiranos: fracturée, elle aussi!

Tomass se sentit giflé avec une rare violence. Les images des pierres fracturées avaient été remplacées par un retour en force d'un extrême réalisme de sa vision. Il était de nouveau aux Havres. Il faisait nuit d'orage, le vent était lourd et étouffant, l'air tourbillonnait, soulevant le sable et la frayeur de ses compatriotes paniqués. Elle était là, quelque part, la morrigha, la terrible sorcière spectrale des temps anciens.

Un cri strident déchira soudain ses tympans. Claodina avait lâché ses mains. Il tomba à la renverse et ouvrit péniblement les yeux. Il était étourdi et embrouillé, comme sorti trop vite d'un rêve. Il se frotta les yeux, tentant de rassembler ses idées. Il se remit debout en chancelant. Il ne voyait pas Claodina. Contournant la petite table, il la trouva par terre, sur le dos, un filet de sang coulant de son nez et de sa bouche.

Tomass fut saisi de frayeur. Éberlué et décontenancé, il tourna sur lui-même en cherchant que faire. Puis les paroles de la spirite lui revinrent : ne pas s'occuper d'elle, prendre le vélin et partir.

Il saisit le document sur lequel il lut plusieurs mots épars qui ravivèrent aussitôt maintes images de la transe. Un éclair de lucidité lui traversa alors l'esprit. Il savait maintenant que ses visions avaient un lien avec la rupture des Pierres sacrées et la libération des morrighas.

Sans demander son reste, il fila hors de la masure. Sur la grève, il s'égosilla à appeler Jékuthiel. En vain. Où pouvait-il être ? Tomass sentit l'urgence d'agir. Si ce qu'il subodorrait devait s'avérer, il était en danger ! Les Sept Royaumes étaient en danger ! Il courut sur la plage en direction d'Heirador, puis se ravisa.

— Je dois en avoir le cœur net !

Il gravit quatre à quatre les marches du premier escalier qui donnait accès au haut de la falaise. Il fila ensuite aussi vite que sa panique le portait vers l'esplanade de la Pierre. Il faisait maintenant nuit, l'air était lourd et inquiétant, comme si le temps avait voulu ajouter sa touche au tragique de la situation. Les pluies saisonnières semblaient vouloir arriver avec l'orage. Alors que Tomass courait, le vent chaud retournait les feuilles des arbres anciens.

Il y eut soudain un éclair et une déflagration sèche.

— Ça vient de l'esplanade. Ça vient de la Pierre! enragea Tomass.

Il reprit sa course de plus belle. Ce qui l'attendait un pas plus loin défiait l'entendement. Son pire cauchemar se réalisait. La Pierre d'Heirador était fissurée. Les fissures étaient invisibles, et pourtant il les devinait sans problème. L'orage répondit. Un autre éclair, du ciel celui-là, jeta sur l'esplanade une lumière sinistre. Ce bref instant de clarté fut suffisant pour révéler la présence de la morrigha. Une apparition spectrale glauque et luminescente. Tomass se figea sur place. Le retour de l'obscurité lui glaça le sang, lui qui sentait la présence de ce mal magique très ancien rôder aux alentours, prêt à foudroyer ce qui se trouverait sur sa route.

Il fut projeté au sol et tomba à la renverse. Avant de comprendre ce qui lui arrivait, il reconnut la voix dont il avait cherché l'écho quelques minutes plus tôt.

— Viens! Vite! Tu vas te faire tuer!

10

L'HEURE DES CHOIX

Tomass et Jékuthiel couraient à en perdre haleine depuis plusieurs minutes lorsque le ménestrel s'effondra, à bout de souffle. Tomass aurait voulu pénétrer plus profondément dans la forêt pour être à l'aise, mais, à l'évidence, son compagnon n'irait pas plus loin pour le moment. La tête entre les genoux, il crachait ses poumons.

— À ce jeu, s'essouffla-t-il, tu es le plus fort, Anghelis.

— Tu veux que je te porte ?

— Non, ça ira. Je crois que nous n'avons plus rien à craindre, pour le moment.

— Comment peux-tu en être sûr ? Les bois sont étrangement silencieux.

— Je ne suis sûr de rien, avoua Jékuthiel. Par contre, si l'autre nous avait suivis, il me semble que nous en ressentirions la présence.

C'était aussi l'impression de Tomass. En revanche, il n'avait jusque-là jamais ressenti la présence des fomors. Les morrighas échappaient peut-être également à ses perceptions? Pourtant, chez Brigga, le malaise n'avait laissé aucune place à l'hésitation, pas davantage que sur l'esplanade de la Pierre, quelques minutes auparavant.

— Qu'est-ce que c'est? demanda Jékuthiel, entre deux râles.

Le ménestrel pointait le doigt vers le morceau d'étoffe que Tomass tenait fermement de la main gauche comme si sa vie en dépendait.

— Ça? hésita Tomass. Ce sont les réponses… les réponses de Claodina.

— Comment ça s'est passé?

— Je crois qu'elle est morte, avoua simplement Tomass.

— QUOI? Qu'est-ce que tu lui as fait?

— Mais rien, objecta Tomass en reculant. Rien d'autre que ce qu'elle m'a dit de faire.

— Elle t'a dit de la tuer? Qu'est-ce qui s'est passé? hurla Jékuthiel.

— Du calme! Je n'y suis pour rien! J'ai fait ce qu'elle m'a demandé. Ça a été long, mais ça a finalement marché. En tout cas, il s'est passé quelque chose. Lorsque j'ai repris mes esprits, il y avait sur ce vélin un certain nombre d'informations, toutes en lien avec mes visions:

des réponses à mes interrogations. Elle m'a ordonné de m'emparer de ce document et de fuir dès que je retrouverais mes esprits. C'est ce que j'ai fait, figure-toi.

— Comment sais-tu qu'elle est morte?

— Je n'en suis pas sûr, mais elle était allongée sur le dos, inerte, les yeux ouverts. Elle ne respirait pas, et du sang coulait de son nez et de sa bouche.

— Et tu n'as rien fait pour elle?

— J'ai fait ce qu'elle m'avait ordonné: j'ai pris le vélin, puis mes jambes à mon cou.

Tomass marqua une pause, le temps de reprendre son souffle, puis poursuivit:

— Ce n'est pas moi qui provoque mes visions. Ce sont des événements catastrophiques qui suscitent ces prémonitions. Des événements comme celui de ce soir. Sais-tu ce qui s'est passé à la Pierre d'Heirador?

Jékuthiel eut un regard grave. Il tourna la tête en direction de l'esplanade de la Pierre.

— Je ne crois pas que ce dont nous avons été témoins laisse beaucoup de place à l'interprétation. L'impensable s'est produit.

— Oui, Jékuthiel! La morrigha! Elle s'est échappée de la Pierre. C'est étrange, mais, même si la Pierre paraît intacte, j'arrive à en voir les fissures. Tu sais ce que cela signifie?

— Je ne crois pas qu'il soit vraiment possible de comprendre ce que cela signifie.

— Ce n'est pas la première !

Jékuthiel fit volte-face et toisa Tomass d'un regard presque inquiétant.

— Je t'assure, Jékuthiel ! Mes deux autres visions ont été provoquées par des événements similaires ! À ce jour, au moins trois des six morrighas sont libres. La morrigha d'Heirador, mais aussi celles du Mythill et du Morcen. Ce sont elles qui attiraient les loups pourpres. Je parierais que c'est l'influence de la morrigha du Morcen qui a éveillé le cœur-brasier.

Jékuthiel maintenait sur Tomass un regard très intéressé.

— Sont-ce là les réponses de Claodina ?

— Oui, j'en ai peur. C'est ce que ce parchemin semble dire, et c'est ce que j'ai vu. Très clairement, cette fois ! Quand j'ai été assailli de nouveau par la vision, je suis sorti de ma transe. J'ai eu peur que ce nouvel épisode ne soit encore déclenché par l'évasion d'une morrigha, et, comme je ne te trouvais pas, j'ai couru jusqu'à l'esplanade pour en avoir le cœur net.

— Comment savais-tu que j'y serais ?

— Je n'en savais rien. Mais il fallait que je valide ma thèse.

Jékuthiel semblait perplexe et nerveux. Ce fut Tomass qui reprit néanmoins :

— Qu'est-ce que tu foutais là, au juste ?

— Je cherchais l'inspiration. Quel meilleur endroit ? J'en suis maintenant quitte pour composer une terrible symphonie.

— Je ne crois pas qu'il soit indiqué de badiner à ce sujet, s'indigna Tomass. Ce qui arrive est terrible ! Épouvantable !

— Je suis de ton avis, mais que peut-on y faire ?

— Il faut absolument prévenir les autorités locales. Toi qui connais tout le monde, tu pourrais…

— Oh non ! l'interrompit Jékuthiel. Il n'en est pas question !

— Mais qu'est-ce que ça veut dire ? On ne peut pas laisser ces pauvres gens…

— Je te rappelle que tu viens de quitter la demeure d'une dame dont on aura bientôt constaté le décès. Des gens t'ont vu là-bas. Si nous ne filons pas d'ici au plus vite, tu seras reconnu coupable de sa mort. Et l'on fera de moi ton complice.

— C'est ta réputation qui t'inquiète ? s'indigna Tomass. Nous aurons bientôt à répondre de la mort de tous ces gens, si nous ne faisons rien !

— Et qu'est-ce que tu voudrais faire ?

— Tu prétends avoir joué à toutes les cours des Sept Royaumes. Tu pourrais nous obtenir une audience !

— Dans quel but ? Leur dire que la morrigha est libre ? Qui nous croira ? Hier encore, elle était prisonnière : le magiark a annoncé la bonne nouvelle ! Uluriak est reparti ce matin. On ne fait pas faire demi-tour à la nef du magiark pour le caprice d'un ménestrel, et encore moins pour celui d'un étranger en exil.

— Conduisons les gens du coin à la Pierre !

— Pour y voir quoi ? Les fissures ne sont apparemment pas visibles pour tout le monde.

— Tant pis pour les fissures. La présence de ce monstre exerce une telle influence qu'ils sauront que nous disons vrai.

— Si tel était le cas, ce serait risquer leur vie à tous, ce que tu sembles vouloir éviter. Et puis, de toute façon, ça n'arrivera pas, Anghelis. Pas encore.

Ce fut au tour de Tomass d'être interloqué. Jékuthiel reprit :

— Les morrighas sont des êtres magiques, des esprits troublés qui devaient sombrer dans l'oubli éternel, comme les runes, comme la magie. Or, ni les runes ni la magie n'ont jamais complètement quitté ce monde. Il en fut de même pour les sorcières spectrales. Libérées de leur écrin, elles sont désorientées et ne constituent qu'un furieux chaos. Il leur faudra du temps pour redécouvrir qui elles sont, pour comprendre le monde où elles se trouvent et ce que sont devenus leurs pouvoirs. S'il en avait été autrement, il est probable que nous ne serions pas là à discuter. Non, cette morrigha n'est déjà plus là. Elle a sûrement quitté l'esplanade et la proximité de sa geôle. Les morrighas vont errer un temps à la recherche d'une faille, d'une porte vers l'Ombre. C'est là qu'elles renaîtront. C'est là qu'elles redeviendront pleinement conscientes de leur existence. Elles y fomenteront leur vengeance, jusqu'à ce que…

— Jusqu'à ce que quoi ?

— Jusqu'à ce qu'elles soient prêtes à revenir hanter le Monde originel, comme elles l'ont fait jadis. Elles chercheront alors à s'incarner, à prendre corps. Elles chercheront une enveloppe puissante qui saura canaliser leurs pouvoirs surnaturels. Elles reviendront lorsque les portes des mondes s'entrouvriront.

— La Samain, la nuit des âmes, chuchota Tomass.

— Au plus tard, oui, mais pas aujourd'hui. Il est trop tôt.

Les deux hommes restèrent silencieux. Tomass était prisonnier de ses pensées. Jékuthiel guettait les ombres du sous-bois.

— Nous devons faire quelque chose, répéta Tomass.

Le ton tenait de la décision plus que de la suggestion.

— Il n'est pas question que j'aille demander une audience. Ce serait de la folie!

— Alors, trouvons autre chose!

— Comme quoi?

— L'Archimage! Tu l'as dit toi-même: l'énigme n'est pas insoluble. Résolvons-la ensemble! Il nous a sauvés une fois en nous envoyant les magiarks. Il nous sauvera de nouveau.

— En admettant qu'il s'agisse bien de son tombeau, ce sont les restes d'un cadavre que nous y découvririons, parviendrions-nous à résoudre l'énigme à temps. Ne sois pas stupide, Anghelis! Qu'est-ce que tu crois qu'un ménestrel et un ex-carouge peuvent contre les morrighas?

Ce fut au tour de Tomass de secouer son compagnon.

— Il faut au moins essayer! Mais remue-toi! C'est toi qui voulais prouver aux Sept Royaumes ce dont tu es capable. Voilà ta chance! Saisis-la, que diable! Que feras-tu, sinon? Tu iras chanter ta couardise de par le monde? Qui fera ton éloge lorsque tout ne sera plus que ruine et désolation?

À l'évocation de sa couardise, Jékuthiel serra les dents.

— Je n'éprouve pas le même amour que toi à l'égard des Sept Royaumes, Anghelis. Et ils me le rendent bien!

— Alors, fais-le pour moi! Pour Salomé ou Claodina! Pour Filigriane! Qu'en sais-je?

— Faire quoi, Anghelis? Qu'y a-t-il à faire? C'est des morrighas qu'il s'agit, par l'Archimage! Trois morrighas! Et bientôt toutes les six, qui sait?

— C'est l'occasion de prouver au monde ta valeur, Jékuthiel. Si l'Archimage n'est plus qu'un souvenir nostalgique, alors conduis-moi au Mitgarth. Si les légendes sont fondées, si ta propre parole n'est pas que balivernes, alors il a de réels pouvoirs. Mène-moi à lui. Je t'en supplie!

— Qu'est-ce qui te fait croire que je sais où le trouver?

— L'Échomancien. Tu m'as dit un jour que l'Échomancien saurait où le trouver. Et toi, tu connais l'Échomancien. La terre de l'Écho-mancien est au sud-est, il me semble. Voisine de l'Éthrandil, n'est-ce pas? Puisqu'il nous faut fuir, alors autant que ce soit chez lui. Guide-nous, j'effacerai nos traces.

Tomass ne connaissait pas grand-chose du mage que l'on nommait l'Échomancien. En fait, il n'en connaissait que ce que les rumeurs en disaient. Or, ces rumeurs, c'était Jékuthiel qui les avait colportées. Il était peu probable qu'il se dédise, lui qui se targuait de ne jamais mentir.

Jékuthiel ne trouva rien à rétorquer à son compagnon. Il semblait pris au piège de ses propres prétentions. Les yeux fermés, il jouait avec sa barbiche comme l'aurait fait le capitaine Lothar. Après un long moment de réflexion, il ouvrit des yeux résignés et conclut :

— Soit. Tu veux aller sur la terre de l'Échomancien ? Qu'il en soit ainsi.

11

ULVANE

Ils avaient quitté l'Éthrandil à la hâte. À contrecœur, Jékuthiel avait troqué son exubérance coutumière pour une discrétion avisée grâce à laquelle il avait su procurer à Tomass et lui-même vivres et montures. Ils avaient alors quitté Heirador par le sud-ouest, évitant les routes fréquentées.

Ils traversèrent ainsi, le plus discrètement possible, les luxuriantes forêts orialves. Aussi magnifiques fussent-elles aux yeux de l'étranger qu'était Tomass, celui-ci n'avait pas le cœur à partager son émerveillement. L'ex-carouge passa le plus clair de son temps à étudier le terrain, à éviter les estafettes et courriers qui pullulaient en ces terres et à couvrir leurs traces au meilleur de ses compétences.

Mû par la crainte et l'urgence, Tomass ne conversait plus guère avec son compagnon que pour discuter stratégie et organisation. De son côté, Jékuthiel s'était fait silencieux. Il ne s'était pas laissé une seule fois aller à ses habituelles improvisations musicales. Dissimulé sous sa cape, il n'était plus que l'ombre du ménestrel que Tomass connaissait.

Deux voies s'offraient à eux. Ils pouvaient contourner Walria, l'autre grande cité ondalve, et prendre la route vers l'est jusqu'au pont du Lugviren, ou se diriger franc sud et plutôt traverser le Lugviren à gué, près du lac Olg-Ingol. La première option était de loin la plus rapide et les placerait aux portes de ce que Tomass croyait être la terre de l'Échomancien, pour peu que soient fidèles les souvenirs qu'il avait des cartes examinées jadis. Par contre, à cette hauteur, le fleuve ne pouvait être traversé que grâce au pont du Lugviren. Or, le pont était surveillé. Les Sept Royaumes étant en paix, les Alfs cherchaient à savoir qui franchissait leurs frontières davantage pour en informer les hautes maisons que pour en contrôler les allées et venues. Néanmoins, les nombreux détours de Tomass et Jékuthiel avaient donné tout le temps nécessaire à leurs poursuivants éventuels, si tant était que la spirite soit morte, de prévenir les gardiens du pont de leur possible fuite. Une traversée discrète à cet endroit ne s'avérerait pas aisée.

L'autre option paraissait plus prudente, mais leur faisait perdre trois ou quatre jours, peut-être plus. Ils la privilégièrent néanmoins.

Hors des routes, parcourant quotidiennement près d'une cinquantaine de pas, ils mirent une semaine pour atteindre le fleuve là où il naissait du grand lac Olg-Ingol. C'est ainsi qu'au sixième jour de la deuxième semaine de la lune de Mondha, les deux fuyards atteignirent la rive sud du Lugviren, quittant ainsi l'Éthrandil. Ils s'éloignèrent prudemment jusqu'à ce qu'ils eussent jugé la distance avec le pays alfim suffisante. Tomass s'affaira ensuite à effacer leurs plus récentes traces.

— Ça ira comme ça, conclut-il, satisfait. Je crois bien que nous les avons semés.

— Loin de moi l'intention de sous-estimer tes compétences de carouge, Anghelis, mais à ta place, je n'en serais pas si sûr. Il y a parmi les Orialfs de très doués chasseurs.

Tomass fronça les sourcils.

— Doués chasseurs ou pas, ils nous auront fait perdre un temps précieux, grogna Tomass. Cela dit, sur ce type de terrain, il leur faudrait être des mages pour nous retrouver. Je crois que nous n'avons plus rien à craindre d'eux, tu peux être tranquille.

— Oh, mais je suis tranquille.

— Alors pourquoi cet air?

— Je suis perplexe, voilà tout.

— Ne te tourmente pas trop, Jékuthiel. Tu as pris la bonne décision, le réconforta Tomass d'une main fraternelle dans le dos.

— Peut-être bien, oui. Ce dont je suis moins sûr, c'est que tu aies, toi, choisi la bonne route.

— Je ne suis pas sûr de comprendre, avoua Tomass. C'est toi qui nous guides…

— Il ne s'agit pas de cela. Ne viens-tu pas de vivre une expérience singulière? Une expérience qui te donne les réponses à tes questions, il me semble. Un réel défi, à en juger par le sort de Claodina, pourtant aguerrie à ce genre de jeu. Tu en ressors grandi, déterminé. Peut-être as-tu choisi la mauvaise route? Peut-être es-tu prêt à affronter tes Nornes et leur épreuve, en fin de compte? N'as-tu pas songé à retourner chez toi?

Tomass ne put réprimer un petit élan de fierté qui lui fit esquisser un sourire subtil. Mais ses yeux fixaient l'est et la terre de l'Échomancien, et non le nord et son Mythill natal.

— Les Nornes m'ont donné jusqu'à l'équinoxe de printemps de la prochaine année. Si je suis prêt, alors j'ai plus de temps qu'il m'en faut pour rentrer chez moi. Or, si tu as vu juste, les morrighas constituent une menace plus imminente. Qui plus est, il se peut aussi que je ne sois pas encore prêt pour l'épreuve des Nornes. Dans un cas comme dans l'autre, la réponse ne peut se trouver que par là.

— Par là? s'étonna Jékuthiel. Tu m'as demandé de te conduire chez l'Échomancien en espérant qu'il te mette en contact avec le Mitgarth. Si cela s'avérait possible, qu'espérerais-tu tirer de cette rencontre?

— Je n'en sais trop rien. S'il ne peut me libérer de mon fléau ou confirmer ta présomption, peut-être nous aidera-t-il à résoudre l'énigme de la Pierre aux runes.

— Qu'espères-tu de cette énigme, à la fin? Abandonne tes chimères. L'Archimage est mort, Anghelis! Il ne peut rien pour nous. Résoudre son énigme est une entreprise futile.

— Alors, les Sept Royaumes ont désespérément besoin d'aide. Si l'Échomancien, le Mitgarth et les autres puissances de ce monde savent ce que nous savons, alors émergera peut-être quelqu'un qui sera capable de rallier sous sa bannière de quoi s'opposer à ce terrible fléau qui nous menace tous.

— Quiconque répond au nom de « mage sans terre » ne doit pas être reconnu pour ses qualités de meneur. Si tu veux tirer de la légende, un héros inspirant, tu aurais plus de chance avec un magiark, il me semble.

— Oui, sans doute. Mais, tu l'as dit toi-même, on ne nous aurait pas laissés approcher de la nef du seul dont nous ayons croisé la route récemment. Et je me dis que les magiarks comprendront bien sans nous ce qu'il advient des morrighas. Uluriak se dirige vers le Morcen, à l'heure qu'il est, non ? Les célébrations de la Pierre de Tiranos sont pour bientôt. Les magiarks n'ont donc pas besoin de nous pour découvrir la terrible nouvelle, en supposant qu'ils ne soient pas déjà au courant. J'en conclus que nos efforts seront mieux déployés ailleurs.

— Ma foi, reconnut Jékuthiel, tu es fin stratège. Quel carouge tu devais être !

Le compliment rendit Tomass nostalgique. Il ne put s'empêcher de se remémorer la troupe du capitaine Lothar, ses compagnons : Utter, Méolas, Nether, Luria… Où en était la chasse aux loups pourpres ? Étaient-ils au courant pour la morrigha de Brunask ? Il aurait tant aimé être à leurs côtés ! Il pensa aussi à Milosh et à sa fille, le seul semblant de famille qu'il lui restait au Mythill. Les savoir si près du danger le mettait mal à l'aise. Il lui tardait de leur porter secours, mais se précipiter aux Havres ne servirait probablement à rien. Si la morrigha y rôdait toujours, il n'était pas en son pouvoir de lui opposer quelque résistance que ce soit.

Il lui restait à espérer que Jékuthiel avait dit vrai en prétendant qu'il était encore trop tôt pour que se manifestent ouvertement les sorcières spectrales. Il lui fallait user de ce répit pour trouver une solution. Mais son compagnon semblait vouloir anéantir chacun de ses espoirs.

Les deux hommes se firent silencieux pendant de longues minutes. Ils se résignèrent enfin à monter un camp à l'orée d'un bois. La nuit était tombée. La pleine lune brillait haut dans le ciel estival. Couché sur le dos, Tomass se laissa aller à quelques divagations.

— Je me demande ce qui peut bien provoquer la rupture des Pierres?

— Curieux raisonnement, répondit Jékuthiel. Il me semble que l'on devrait plutôt se demander QUI rompt le charme?

— QUI? Tu crois que… mais, qui en aurait le pouvoir?

— Les magiarks sont les premiers suspects, à mon avis. Ce sont eux qui sont parvenus à emprisonner les morrighas jadis. Qu'est-ce qui nous dit qu'ils n'ont pas les moyens de les libérer?

— Mais c'est insensé! s'indigna Tomass. Pourquoi diable iraient-ils commettre pareille infamie?

— Qu'en sais-je? Tu me demandes qui

aurait ce pouvoir. Je n'ai jamais prétendu qu'ils y auraient intérêt, s'excusa presque Jékuthiel.

Tomass cogita longuement sur le pavé que Jékuthiel venait une fois de plus de jeter dans la mare de ses préoccupations. Force lui était d'admettre qu'il n'avait guère à opposer au raisonnement de son compagnon, mais il n'arrivait pas à imaginer que ces héros de jadis puissent avoir sombré dans une telle folie. Par contre, si Jékuthiel envisageait sérieusement cette hypothèse, cela expliquerait son empressement à quitter l'Éthrandil.

— Les fomors! lança Tomass en désespoir de cause.

À bien y réfléchir, l'idée n'était pas mauvaise et avait le mérite de libérer les magiarks du doute qui pesait maintenant sur eux dans l'esprit du carouge.

— Ah, les mystérieux fomors, médita Jékuthiel à son tour. Serait-ce là le légendaire secret des fomors? Qui sait? Ils étaient au Mythill et au Morcen lorsque les deux premières morrighas ont été libérées. Bien commode que ce secret, finalement.

— Que veux-tu dire? demanda Tomass.

— Que le mystère qui voile leurs desseins est prétexte à les accuser de tous les maux. On aura tôt fait de les rendre responsables de la libération des morrighas, je suppose.

Tomass médita à son tour. À force de conjecturer, une autre idée saugrenue lui traversa l'esprit. Il tenta bien de la chasser, mais elle ne le tracassa que davantage.

— Je me demande si…

Il s'interrompit.

— Qu'y a-t-il?

— C'est juste que… je me demandais si… enfin, chaque fois que j'ai eu une vision, chaque fois qu'une des Pierres s'est fracturée… Eh bien, moi non plus, je n'étais pas très loin.

Tomass fut interrompu par un éclat de rire. Jékuthiel riait sans retenue. Tomass se sentit ridicule.

— Ma foi, Anghelis, tu es un drôle de numéro! Je te savais déjà capable de te faire le défenseur de ceux que tu devrais maudire. Voilà que tu oserais évoquer la possibilité que ta simple proximité puisse rompre un charme maintes fois centenaire rien que pour pouvoir prendre sur tes épaules le blâme de ce qui pourrait bien être le crépuscule des Sept Royaumes. Je n'en crois pas mes oreilles!

Il rit de plus belle. Apparemment détendu par la situation, il tira sa flûte de son étui et se mit à jouer.

— Allez! Dors, Anghelis. Je me charge du premier tour de garde.

Jékuthiel joua encore. Tomass n'opposa aucune résistance. La douce et belle mélodie du ménestrel était comme une berceuse à laquelle il s'abandonna sans retenue.

Lorsque Tomass s'éveilla, il faisait jour depuis un bon moment. Il avait dormi comme un loir et se sentait frais et dispos. La nouvelle aurait dû le réjouir, mais il en fut plutôt irrité. Il se leva prestement et trouva le ménestrel endormi sous sa couverture, état auquel il mit fin par un gentil coup de pied dans les côtes du dormeur. Ce dernier grommela, mais se redressa néanmoins.

— Il fait jour! Nous devrions être en route depuis longtemps! pesta Tomass, qui dosait ses reproches. Tu aurais dû me réveiller! Il n'est pas très prudent que nous dormions tous les deux!

— Je suis désolé, dit le ménestrel. J'ai dû m'assoupir... C'est bien la première fois. Et puis il n'est rien arrivé. N'en faisons pas tout un plat!

Tomass n'avait jamais vu Jékuthiel dans cet état. Il avait les traits tirés et de gros cernes sous les yeux. Il se demandait ce qui avait bien pu perturber son compagnon au point qu'il ait négligé de le réveiller avant de s'endormir. Par ailleurs, avec tout ce que Jékuthiel avait fait pour lui jusque-là, Tomass eût été bien mal avisé de lui faire la morale. Ils avaient néanmoins une longue route à parcourir, et Tomass troqua les reproches pour des préparatifs plus utiles. Ils cassèrent une croûte frugale et poussèrent ensuite leurs montures loin de la frontière de l'Éthrandil.

La route des trois jours qui suivirent se fit à l'image des précédentes, la pluie en plus. Quoique chaudes, les averses abondantes les incommodèrent. Le décor rappelait celui de l'Éthrandil. La forêt avait fait place aux collines, mais les futaies où régnaient les grands arbres étaient nombreuses. Le terrain, lui, était plus hasardeux, et l'horizon couvert de brume. Il sembla d'ailleurs à Tomass que leur trajectoire se maintenait vers l'est. Ils longeaient les montagnes du Ferelgard, le Sixième Royaume, plutôt que de remonter vers le nord et la forêt. Jékuthiel maintenait qu'il savait ce qu'il faisait, qu'il serait trop facile de se perdre sans les repères montagneux. Ce fut là la teneur des rares propos qu'ils échangèrent ces trois jours durant. Tomass avait toujours sa quête dans les yeux. Ceux de Jékuthiel ne brillaient plus guère. Caché sous son mantel, luth et flûte bien rangés, le flamboyant ménestrel aurait aussi bien pu passer pour un vagabond.

Lorsque la route devenait monotone et que

Tomass se perdait en rêveries, ses pensées revenaient sans cesse à l'Archimage et à l'énigme de la Pierre aux runes. Il ne pouvait s'empêcher de croire que l'Archimage n'était pas vraiment mort. Quoi qu'en pensât Jékuthiel, Tomass refusait d'admettre que l'Archimage s'était éteint simplement, abandonnant les Sept Royaumes à leur sort. Il se raccrochait à l'espoir qu'il veillait toujours sur eux, d'une manière ou d'une autre.

Pour éviter d'importuner le ménestrel avec ce que ce dernier considérait de toute évidence comme une préoccupation futile, Tomass avait appris le poème de l'énigme par cœur.

En Kalorn, à Nelcast, le chacal exigea les trois clés du songe. Nelcast demanda de quelles clés il s'agissait. Le chacal répondit: «Celles qui produisent une nyctale.» Nelcast demanda encore de quelles clés il s'agissait. Le chacal répondit: «Celles dont l'union donne les fontaines de Kalorn.» Nelcast demanda de nouveau de quelles clés il s'agissait. Le chacal répondit: «La plus grande est plus simple que les deux autres.» Alors, Nelcast rejoignit le songe du chacal.

Qui étaient Nelcast et le chacal, et de quel songe s'agissait-il? Où se trouvait Kalorn? De quelles clés métaphoriques était-il question? Torturé par autant d'interrogations, et bien d'autres encore, il tentait de se convaincre que Jékuthiel avait raison, et qu'il valait mieux occuper ses pensées à quelque chose de plus productif. Chaque fois, pourtant, les paroles mêmes du ménestrel lui revenaient : « Aucune énigme n'est insoluble. » Il était hanté par l'idée qu'il devait d'abord comprendre le sens général de l'énigme, et qu'alors, peut-être, les images et métaphores se révéleraient d'elles-mêmes. Mais à trouver ce sens, il n'était pas encore parvenu. Et toujours, la route, le vent ou la pluie le tiraient de ses songes éveillés.

Au soir du troisième jour, depuis le gué du Lugviren, la pluie sembla faiblir. Ils décidèrent de monter le camp sur une colline autour de laquelle serpentait un ruisseau. L'endroit était à découvert et n'offrait aucun abri pour se protéger de la pluie, mais, de tels abris, il n'y en avait plus guère à des pas à la ronde. Par ailleurs, leur promontoire offrait un point de vue privilégié sur les environs. Jékuthiel avait dû avouer à son compagnon qu'ils se trouvaient, comme l'autre l'avait deviné, près de la trouée d'Ithin, la porte d'entrée du Sixième Royaume. Or, si tous les royaumes étaient en paix, celui-ci avait mauvaise réputation, et, pour une fois, Jékuthiel confirma Tomass dans ses impressions sur le sujet :

« À mesure qu'étaient tombées les morrighas,

les peuples alfs, khyrans et humains avaient élevé des cités près des geôles de pierre et en avaient fait les capitales de leurs futurs royaumes. La chasse aux morrighas demeura la priorité officielle jusqu'à ce que tombe celle d'Ithin. Mais Alfs, Khyrans et Humains s'affairaient désormais davantage à bâtir leurs royaumes. Les Jekus, gens du peuple gris, virent périr nombre des leurs pendant la chasse. Plus ou moins abandonnés par les autres peuples au moment venu de capturer la dernière morrigha, les Jekus subirent de lourdes pertes. Aussi, lorsque tout fut terminé, les magiarks survivants leur firent cadeau de treize tuiles magiques dont ils fabriquèrent la légendaire mosaïque d'Ithin. Les pouvoirs de la mosaïque leur permirent de bâtir leur cité et leur royaume, le Ferelgard. Les Jekus confièrent à treize gardiens, treize héros, la protection de la mosaïque. Toutefois, les légendes voulaient qu'un jour, l'un des gardiens retirât l'une des tuiles et la prît avec lui pour accomplir quelque exploit aux confins du Ferelgard, loin d'Ithin. Il aurait dès lors découvert la puissance des tuiles, une rumeur qui se répandit bientôt parmi les gardiens. La mosaïque se trouva alors de plus en plus souvent dépouillée d'une ou de plusieurs de ses tuiles, sous prétexte de mettre à profit la magie des tuiles ici et là dans le royaume. Le pouvoir enivra les gardiens, qui s'entredéchirèrent. Le tissu qui unissait le Ferelgard s'en trouva fragilisé, et les gardiens, corrompus.

En cette 653ᵉ année de la nouvelle ère, le Ferelgard n'était plus désormais que l'ombre du royaume qu'il avait été à son apogée. Jusque dans le Mythill, on le disait hanté par les âmes des gardiens déchus. »

À défaut d'un abri à couvert, la colline offrait à Tomass et Jékuthiel l'avantage du terrain, au cas où des rôdeurs du Ferelgard s'aventureraient près de leur campement.

Tomass profita de ce que la pluie se faisait oublier pour se dévêtir et se laver convenablement dans le ruisseau. Sur la colline, à un demi-pas de là, Jékuthiel tentait d'allumer un petit feu, de quoi faire de la braise qui permettrait de rôtir le seul lièvre débusqué ces derniers jours.

Les pieds dans un ruisseau vaseux et froid, Tomass savourait comme il le pouvait cet instant de répit. Il se défit de la boue, mais l'odeur de sueur et la crasse se firent plus coriaces. Occupé à se récurer, il ne remarqua pas tout de suite qu'il était épié. Les jours étaient longs en cette saison, mais le couvert nuageux avait donné ce jour-là à l'obscurité quelques heures d'avance. Quelqu'un avait saisi cette occasion pour s'approcher. Dans les fourrés, une main agile et ferme avait frappé le sol moite avec un curieux bâton. En avait surgi le spectre d'une panthère, noire comme le jais. Libéré de son écrin, l'animal éthéré devint translucide et amorça une approche sournoise en direction de Tomass.

N'eût été de ce recours au surnaturel, Tomass ne se serait douté de rien. Il avait maintenant ressenti que quelque chose n'allait pas. Aussitôt aux aguets, il pesta contre une luminosité entre deux eaux, ni lumière ni ténèbres, qui atténuait tous les contrastes. Il délaissa le ruisseau et gagna un sol moins meuble qui offrirait une meilleure stabilité. N'y tenant plus, il dégaina de leur fourreau sur le sol ses deux kerpans qu'il tint devant son corps nu. Il scruta les alentours. Toujours rien. L'instant lui rappela l'apparition du fomor à qui il avait attribué, à tort, sa première vraie vision. À tort ? Peut-être pas, après tout. Même Jékuthiel était demeuré perplexe à l'idée que les fomors puissent être impliqués d'une manière ou d'une autre dans la libération des morrighas.

Tomass eût bien aimé poursuivre cette réflexion. Il n'en eut pas le temps. Du coin de l'œil, il lui sembla voir bouger une ombre étrange. Il n'en distingua pas la nature, mais d'un fomor il ne s'agissait point. Comme s'il en eût été soulagé, il fit quelques pas lestes dans la direction de l'ombre. Le geste produisit la réaction anticipée : la bête se révéla… en partie. Tomass fut stupéfait de trouver devant lui un fantôme aux allures de félin. La silhouette lui rappela celle d'un urkian, en format réduit.

« Il est des prédateurs qui ne chassent pas en solitaire », pensa Tomass, qui craignait de voir apparaître un autre fauve. Il eut la présence d'esprit de héler son compagnon. Jékuthiel, distinguant son compagnon, sabres dégainés, en conclut que quelque chose n'allait pas. Il tira aussitôt son épée de son fourreau et dévala la pente à son secours.

Pendant ce temps, la bête s'était ruée sur Tomass, qui n'avait eu aucun mal à la tenir en échec avec ses deux lames. Il n'était pas coutumier pour une bête sauvage de risquer ainsi sa peau pour remplir sa panse. Une telle témérité était plutôt l'apanage des bêtes enragées, blessées ou à court de gibier. Celle-là, cependant, avait l'inconfortable particularité d'être surnaturelle.

Tomass eut bientôt l'impression que le fauve l'étudiait. Du coin de l'œil, il vit miroiter la lame de son compagnon qui fondait vers eux. Comment la bête allait-elle réagir, encerclée par eux deux ?

Un sifflement !

Tomass se garda de détourner son regard du danger imminent qui le toisait toujours. La bête, elle, ne fut pas indifférente à cet appel. Elle prit son élan et sauta en direction de Tomass, qui la reçut de ses kerpans. En vain. Le spectre se dématérialisa sous ses yeux et siffla près de sa tête comme si Tomass n'avait même pas été là. Ce dernier fit volte-face et découvrit une autre présence : une femme qui venait de traverser subrepticement le ruisseau. Jékuthiel abaissa ses armes alors que le fauve spectral s'en retournait au bâton tendu par l'intruse.

— Sournoise à souhait. Fidèle à tes habitudes, à ce que je vois, badina Jékuthiel.

— Toi, par contre, tu te laisses suivre à la trace, répondit la vagabonde.

— Ulvane, ma louve !

Les deux se firent une accolade bien sentie. Jékuthiel se permit même un baiser sur des lèvres qui l'acceptèrent avec un mélange de retenue et d'indifférence. Elle et lui étaient des connaissances de longue date, à l'évidence. S'approchant prudemment, Tomass distingua une femme, plus âgée que lui, au visage dur et usé, mais aux yeux vifs et profonds. Sa peau ressemblait à du cuir. Elle avait des sourcils épais qui lui donnaient un air sévère. Ses cheveux étaient sombres et noués en trois ou quatre nattes de longueurs différentes. Elle avait de longues bottes de cuir bouilli aux maintes boucles qui joignaient ses hauts-de-chausses au-dessus des genoux. Elle portait chemise, veste et mantel, au capuchon rabattu sur ses épaules. Une large ceinture ceignait ses hanches, ceinture à laquelle étaient attachés une miséricorde, une outre, un carquois garni de flèches à l'empenne moite et un fourreau d'où dépassait une garde d'un ouvrage plutôt quelconque. Elle portait un gros sac à dos, tenait un arc dans la main gauche et un bâton de marche dans l'autre, celui-là même où s'était évanouie la panthère. Elle avait les mains sales et dégageait une subtile odeur de sueur et de tabac à pipe.

Alors qu'il terminait son inspection de cette femme, celle-ci délaissa les mondanités d'usage qu'elle avait alors engagées avec Jékuthiel et tourna son regard vers Tomass. Il se rappela aussitôt qu'il était, lui, complètement nu, et que ni ses kerpans ni l'obscurité naissante ne suffiraient à le voiler convenablement.

— Hum… Enchantée, lui souffla-t-elle sans lui tendre la main.

— C'est ça. Moi aussi, mentit Tomass, qui s'en alla prestement se vêtir.

Au même moment, à trois jours de cheval à l'ouest de la colline où Tomass et Jékuthiel avaient décidé de camper, quatre chasseurs orialfs faisaient une halte méritée après plusieurs heures de route vers le gué du Lugviren. Ils mirent pied à terre, laissant à leurs montures fourbues une occasion de récupérer un peu.

Pendant que ses compagnons montaient le camp, Ezekiel, le plus jeune de la troupe, s'était éloigné pour soulager sa vessie. Au retour, il faillit trébucher lorsque, par inadvertance, il posa le pied sur un bien étrange caillou. Intrigué, il ramassa le curieux objet qui avait roulé sous son pied. Il tenait devant lui une bille sombre, de la taille d'une grosse noix, parfaitement lisse. L'objet était sombre et froid, mais paraissait vivant, comme si une âme y était enfermée, comme si un cœur y battait. Ezekiel n'avait aucune idée de ce que cela pouvait être, et ses yeux, aussi nyctalopes fussent-ils, ne purent soutirer quelque indice à l'objet, qui semblait se fondre dans l'obscurité. Hors des frontières de son pays, trop près à son goût du sinistre Ferelgard, il ne put réfréner une petite inquiétude à tenir dans ses mains la sphère qui se dérobait à ses yeux. Sa curiosité vainquit néanmoins l'envie prudente d'abandonner l'objet là où il l'avait trouvé.

Ezekiel mit donc la sphère dans son aumônière et se garda de partager son secret avec ses pairs. Recrue parmi de vétérans chasseurs, il craignait d'être réprimandé ou délesté de son mystérieux butin. Il se résolut à rentrer au pays avec la bille noire. Il irait à Walria consulter un sage ondalf, ami des gens de sa maison. Peut-être le sage percerait-il le mystère de l'intrigant objet.

— Alors, Jékuthiel le ménestrel ? disait la femme, tandis que Tomass les rejoignait auprès du feu. Joue franc-jeu pour une fois. Qu'est-ce que tu veux de moi que tu ne m'aies déjà pris ?

— Holà ! Décèlerais-je en ces propos quelque ressentiment ? badina à demi le ménestrel.

— Admets-le, au moins, reprit la femme, une curieuse indifférence dans la voix. Pourquoi traînerais-tu par ici sinon pour croiser ma route ? À moins que tu ne cherches la compagnie de la goule du Ferelgard ?

Tomass braqua sur son compagnon un regard inquiet.

— Tu as tort, Ulvane, poursuivit Jékuthiel qui ne prêta guère attention à la réaction de Tomass. Nous ne cherchions ni la goule ni toi.

Du reste, l'on dit du monstre que son repaire se trouve par-delà la trouée d'Ithin. Nous sommes loin de son antre.

— Pour une fois, c'est toi qui as tort, Jékuthiel, renchérit-elle à son tour, les yeux rivés sur les braises crépitantes. J'ai vu du *malmort* par ici, et à quelques reprises depuis plus d'une lune. Et je l'ai vue, elle !

— Cela me paraît très surprenant, confia Jékuthiel, désinvolte. Tu as dû te tromper, mon amie.

— Oh, non ! Crois-moi ! On ne s'y méprend pas. Je l'ai vue. Là où elle passe, elle laisse des traces. Je l'ai vue avec ses cadavres ambulants, les malmorts.

Tomass échangea un regard ou deux avec Jékuthiel pendant que l'autre bourrait sa pipe.

— Qui sont donc cette goule et les… malmorts ? demanda Tomass, qui, pour la première fois, osait s'insérer dans la conversation.

— La goule du Ferelgard est un des anciens gardiens corrompus d'Ithin, répondit Jékuthiel.

— Et pourquoi « la goule » du Ferelgard ?

— Parce qu'à son apparence on la dirait tout droit sortie d'une tombe.

— Et le fait qu'elle s'acoquine avec des morts-vivants, les malmorts, vient soutenir cette réputation, renchérit Ulvane. Si seulement je savais ce qu'elle cherche par ici !

— Les morrighas, déclara Tomass derechef, pensif, près du feu.

— Les morrighas ? répéta Ulvane qui s'intéressait à Tomass pour la première fois. De quoi il parle, celui-là ?

Ce fut Tomass qui répondit :

— Le mal qui attire le mal. J'ai déjà vu ça chez moi. Votre monstre est attiré par les morrighas.

— Mais c'est insensé ! Pourquoi la goule déciderait-elle subitement de chercher les morrighas ? Et puis, elle n'a qu'à se rendre à Ithin, si elle veut voir la Pierre ! Si quelqu'un au Ferelgard sait où la trouver, ce doit bien être elle !

— C'est que la morrigha d'Ithin est toujours prisonnière. Trois autres ne le sont plus.

Ulvane toisait Tomass. Se retournant vers le ménestrel, elle lui demanda :

— Tu t'acoquines avec des fous maintenant ! Et puis qu'est-ce qu'il connaît de la goule du Ferelgard ?

Tomass allait se fâcher, mais Jékuthiel intervint :

— Je constate que les présentations n'ont pas été faites convenablement. Ulvane, voici Tomass Anghelis, un Mythillien en exil. Il ne connaît pas grand-chose à la goule ni à ses moribonds, mais j'ai bien peur qu'il dise vrai au sujet des sorcières, avoua-t-il avec sa désinvolture coutumière.

— Les morrighas! Trois morrighas libres!

Ulvane plaça une main devant sa bouche. Elle n'arrivait pas à le croire.

— Vous fuyez donc? demanda-t-elle enfin.

— Nous cherchons l'Échomancien, dit Tomass sèchement.

— L'Échomancien? Je doute que son influence se soit étendue jusqu'ici. Je le saurais. Il vous faut prendre vers le nord. Tu devrais le savoir, Jékuthiel.

— Jékuthiel avait peur de perdre ses repères, à cause de la pluie, admit candidement Tomass avant que son compagnon n'ait pu intervenir. Si tu veux te rendre utile, tu pourrais nous aider à trouver l'Échomancien.

— Me rendre utile? Non mais, pour qui il se prend celui-là? Je te signale que…

— Holà! Du calme, vous deux! dit Jékuthiel. Je vous signale à mon tour que nous sommes tous du même côté! Cessez ces querelles puériles qui ne nous avancent à rien. Nous prendrons donc vers le nord dès demain. Si tu peux nous aider, ton aide nous sera précieuse, Ulvane. Mais rien ne t'y oblige. Nous nous débrouillerons bien sans toi s'il le faut, ne te fais pas de souci pour nous.

Le reste de la soirée fut consacré à un repas frugal. Jékuthiel et Ulvane échangèrent abondamment sur la question des morrighas. La vagabonde fut vite au fait de ce que les deux autres savaient. Plus ou moins exclu des échanges, Tomass offrit de faire le dernier tour de garde et s'en fut quérir un peu de sommeil en attendant. Il fut éveillé par Jékuthiel bien avant l'aube. Il remarqua aussitôt qu'Ulvane était partie.

— Tu n'as pas réussi à la convaincre de nous aider ? s'enquit Tomass, qui n'en était pas vraiment déçu.

— Détrompe-toi, Anghelis. Elle nous a donné rendez-vous à quinze ou vingt pas vers le nord. Nous l'y rejoindrons sans peine avant la fin de ce jour.

— Nous pourrions parcourir beaucoup plus de terrain en une journée, argua Tomass. Même dans les bois, avec les chevaux derrière nous.

— Certes, mais saurais-tu traquer la goule et ses malmorts ? Ulvane nous servira d'éclaireur et nous ouvrira une route sûre jusqu'à ce que la distance entre le monstre du Ferelgard et nous soit suffisante.

Tomass ne trouva rien à redire. Il ne savait pas trop s'il pouvait faire confiance à cette femme à l'odeur étrange et il ne prisait guère l'idée de lui céder l'initiative, alors qu'il s'enorgueillissait de celle qu'il avait prise depuis les révélations de la spirite. D'un autre côté, il aurait été faux de prétendre qu'il ne la trouvait pas attirante à sa manière. En outre, la voir résister à Jékuthiel ajoutait à son charme.

Il médita un bon moment sur la question, scrutant les ombres suspectes sporadiquement. Ses pensées bifurquèrent bientôt vers la quête qu'il s'était fixée et sur l'énigme de la Pierre aux runes. Il enviait la vaste culture de son compagnon ménestrel, culture qui lui faisait cruellement défaut. Il n'avait aucune piste à exploiter pour s'attaquer à l'énigme et désespérait de parvenir à convaincre le ménestrel de l'aider. Il en était réduit à espérer que le temps l'inspire ou lui fournisse des indices.

Le temps… Il en avait de moins en moins. Certes, il en avait plus qu'il ne lui en fallait pour rentrer chez lui. Mais il se sentait maintenant investi d'une quête plus noble que celle de son propre salut. Du reste, il se plaisait à croire que ce salut était désormais à sa portée. Il était maintenant en paix avec lui-même, presque serein. L'autre mission, par contre, celle qu'il s'était donnée de s'opposer aux morrighas, se faisait plus pressante. Or, elle n'avait guère progressé. Il se cognait de nouveau le nez sur une porte dont il n'avait pas la clé. Si le Mitgarth ne possédait pas cette clé, ou pire, si de Mitgarth il n'y avait point, Tomass n'avait pas d'autres options à considérer pour le moment.

Puisque Jékuthiel et lui-même n'avaient pas autant de chemin à parcourir qu'à l'habitude, Tomass résista à l'envie de réveiller son compagnon dès l'aube. Ils cassèrent une croûte légère plus tard qu'à l'accoutumée et prirent la route sous un soleil de plomb.

Ils atteignirent la clairière du rendez-vous plus tard que Tomass ne l'avait escompté. Le soleil et l'humidité s'étaient avérés accablants, et la route plus ardue que le Mythillien ne l'avait anticipé. Le relief n'était pas si plat qu'il y paraissait. Il était parcouru de crevasses telles que le lit d'une rivière asséchée. Les interstices, parfois larges et profonds, parfois plus délicats, imposaient la prudence et une pénible trajectoire en zigzags. Les pluies des derniers jours avaient rempli de boue plusieurs des crevasses et rendu très glissantes les trop nombreuses pierres qui affleuraient ici et là sur les collines où courait la mousse. La chevauchée s'était rapidement révélée hasardeuse. Les nombreux arbres étaient regroupés en bosquets serrés et impraticables, privant du même coup les voyageurs d'une ombre apaisante. Bien avant d'atteindre ce qu'il convint d'appeler une forêt, ils avaient dû voyager à pied, traînant des montures récalcitrantes derrière eux.

À la clairière, Ulvane était assise sur une pierre. Son accueil fut tiède, sinon froid. Elle ne leva pas la tête. Elle semblait fatiguée et préoccupée. Lorsque Jékuthiel tenta mielleusement de s'en enquérir, il se heurta à une vagabonde irritée qui négocia plutôt quelques instants de repos. Il reviendrait aux hommes de voir au repas du soir.

Alors que Jékuthiel s'en était allé cueillir quelques champignons et baies suivant les indications d'Ulvane, Tomass avait accepté de se charger de trouver un peu de viande, denrée qui s'était faite rare ces derniers jours.

Tomass mit à profit ses enseignements carouges. En ces terres qu'il ne connaissait pas, pister le gibier se révélerait certainement laborieux. Il commença par une reconnaissance prudente des environs. Il lui fallut du temps pour comprendre la nature de cet habitat peu familier. Ce fut d'ailleurs la chance plus que l'expertise qui lui valut de tomber sur un jeune daim si rapidement. Ils auraient peut-être, finalement, de la viande fraîche et tendre à se mettre sous la dent ce soir-là.

Tomass évita l'empressement. Il était encore étranger à ces lieux, mais comptait bien montrer de quoi il était capable à cette Ulvane, qui ne le considérait guère que comme un apôtre de Jékuthiel. Il ne fallait pas gâcher ce que la providence venait de mettre sur son chemin. Il prit en chasse l'animal avec beaucoup de circonspection, tentant de lui couper toute retraite vers un éventuel couvert végétal. De très longues minutes plus tard, il encocha une flèche et visa. Au moment opportun, le trait siffla, vif comme le vent, et se ficha dans la poitrine du jeune animal, le tuant sur le coup. Fier de lui, il saigna et éviscéra le daim sur-le-champ après avoir récupéré sa flèche.

«Un bon coup, mon vieux!» se félicitait Tomass en revenant au camp sous un soleil fatigué qui caressait maintenant la cime des arbres de la clairière.

À quelques dizaines de coudées de leur campement, il entendit d'étranges gémissements. Ses compagnons étaient-ils blessés? Avaient-ils été attaqués?

Ses pas devinrent plus empressés, retenus à peine par une prudence de bon aloi. Ni Ulvane ni Jékuthiel n'étaient au campement, mais les gémissements se faisaient plus sonores. Près de leurs affaires, pas de traces suspectes, pourtant.

Abandonnant son gibier sur place, Tomass marcha prestement vers l'origine des bruits. Il stoppa net. Dans les hautes herbes, il devina aussitôt le sens des halètements d'Ulvane et de

Jékuthiel. Il ne voyait qu'Ulvane, la poitrine dénudée, les cheveux défaits, qui se tortillait lentement en un mouvement de va-et-vient. Ses gémissements n'exprimaient pas la douleur, de toute évidence. Ulvane le vit, debout, qui les regardait. Elle ne réagit point. Tomass se sentit ridicule. Il rebroussa chemin jusqu'à leur campement. Il se ravisa. Il n'allait pas les attendre à faire semblant de rien. Ulvane était comme les autres, finalement. Elle était tombée dans les griffes de Jékuthiel, qui prenait ce qu'il voulait quand il le voulait. Tomass décida donc d'occuper son temps plus utilement et s'en fut parfaire sa reconnaissance des environs.

Il tomba bientôt sur des traces inconnues. Des traces de bottes. Il ne lui fallut pas longtemps pour réaliser qu'il s'agissait de celles laissées par Ulvane. Il tenta de se réjouir d'avoir remonté la piste de cette forestière prétentieuse. Mais ses pensées revinrent plutôt sur le corps d'Ulvane, ses seins, ses cheveux sombres défaits, son regard sévère prenant plaisir. Hanté par une jalousie qu'il ne s'avouait pas, il aurait aimé être à la place de Jékuthiel et sentir le corps chaud de cette femme vigoureuse, forte et séduisante à sa manière.

Il ne fut tiré de sa rêverie que beaucoup plus tard, lorsqu'il tomba, par hasard presque, sur d'autres traces. Il constata qu'il avait négligé de poursuivre l'exploration qu'il s'était donnée comme prétexte pour fuir une scène qui l'embarrassait. Ces nouvelles traces n'étaient pas celles d'Ulvane. Elles lui rappelèrent plutôt celles des loups pourpres. Elles étaient moins profondes cependant. Curieuse impression. « Les loups pourpres forment des meutes et ne camouflent pas leurs traces. De toute façon, je doute qu'il y ait des loups pourpres par ici », pensa-t-il. Avant de conclure au danger imminent, il examina d'autres possibilités, notamment qu'il s'agisse des traces du fauve fantôme qu'Ulvane cachait dans son bâton. « Un spectre laisse-t-il seulement des traces ? En laisserait-il d'aussi profondes ? La bête d'hier soir était quadrupède, et celle-ci marche sur deux pattes. »

Tomass tenta de suivre les empreintes suspectes. Elles allaient vers leur campement ! À un demi-pas environ de la clairière, il perdit les traces, mais retomba sur celles d'Ulvane.

« Tu t'es fait suivre, ma mignonne », grommela-t-il, pris d'un sentiment mi-figue mi-raisin.

Avant de regagner leur campement, il termina sa reconnaissance rapidement. Personne n'était en vue, et il ne trouva aucune autre trace inquiétante. Malheureusement, il était trop tard pour déménager leur campement pour la nuit. Il leur faudrait être prudents. Et il lui faudrait parler à Ulvane.

Dans la clairière, Jékuthiel rôtissait le daim sur une braise ardente.

— Te voilà enfin! Je commençais à me demander si tu avais l'intention de goûter du fruit de ta chasse. Toutes mes félicitations!

Si Jékuthiel avait le cœur léger – il avait même emprunté à Ulvane sa pipe et son tabac, qu'il fumait avec grand plaisir –, Ulvane avait repris son air sévère et voyait à son équipement. Ce ne fut qu'après un repas très apprécié que Tomass obtint un instant plus ou moins seul avec la vagabonde. Jékuthiel fumait tranquillement à l'écart.

— Je constate que Jékuthiel et toi êtes de bons amis! échappa-t-il sur un ton mesquin.

Tomass eût anticipé une réplique à la hauteur de son sarcasme déplacé. Il n'en fut rien.

— Je constate que tu connais bien mal Jékuthiel, Tomass. Ne sais-tu pas que Jékuthiel n'a pas d'ami?

Le ton d'Ulvane révélait une amertume certaine. Loin d'une attitude de puérile compétition, elle rivait sur Tomass des yeux perplexes et inquiets.

— Qu'est-ce qu'il y a? lui demanda-t-il.

Pour toute réponse, elle posa une main

tendre sur son épaule avant de se relever et de récupérer son paquetage.

— Tu pars, Ulvane?

— Je vous éclaire un sentier vers le nord. J'ai beaucoup discuté avec Jékuthiel. Nous avons convenu d'un autre point de rendez-vous.

Tomass ne s'était pas préparé à cette attitude de la part d'Ulvane, pas plus qu'il n'avait anticipé l'étrange sentiment qui l'étreignait maintenant. Décidément, Jékuthiel avait la curieuse manie de s'entourer de gens que Tomass trouvait difficiles à cerner. Avant que la forestière ne disparaisse, il affirma:

— Je crois que nous sommes suivis, Ulvane.

— Des fomors?

— Non, pas cette fois, précisa-t-il, pris au dépourvu de nouveau.

— Au revoir, Tomass, dit Ulvane en levant la main avant de quitter les lieux.

Il faisait nuit noire. Jékuthiel dormait, perché sur un arbre. Entre quelques regards furtifs aux alentours et brindilles lancées négligemment dans les braises d'un feu mourant, Tomass méditait. Il pensait à Ulvane, à Jékuthiel et à l'énigme. Il tripotait son fléau avec la curieuse impression qu'il lui pesait moins qu'auparavant. Il fut de nouveau pris de l'envie de l'ouvrir et de contempler une autre fois la sphère où macérait l'essence de son tourment. Peut-être avait-elle changé d'aspect, maintenant qu'il se sentait prêt à affronter son mal?

Assis près du feu dans un confort très relatif, il allait entrouvrir l'écrin lorsqu'un frisson tristement familier lui parcourut l'échine. Quelque chose n'allait pas. Un sentiment plus fort que lorsque le fauve d'Ulvane avait quitté son bâton. Beaucoup plus fort! Le Garou se redressa et scruta l'obscurité. Quelque chose bougeait dans les fourrés. Quelqu'un s'approchait de leur campement, et ce n'était pas Ulvane.

Aussi discrètement que possible, il se dissimula de la lueur des braises et dégaina ses kerpans. Au même moment, les deux chevaux qui les accompagnaient toujours, Jékuthiel et lui, s'ébrouèrent. Les bêtes avaient senti ce que Tomass ne parvenait toujours pas à distinguer clairement. Il remarqua bientôt deux ou trois autres silhouettes inquiétantes qui resserraient une étreinte sournoise autour de leur camp.

— JÉKUTHIEL! hurla-t-il.

Le ménestrel, qui avait quitté un peu trop précipitamment son perchoir, se démenait quelque part dans la pénombre. Tomass tournait sur lui-même pour évaluer l'encerclement dont ils étaient victimes. Leurs assaillants s'approchaient lentement, mais sûrement. Ne sachant à qui il avait affaire, Tomass rangea l'un de ses kerpans et se saisit de son arc, qu'il arma et braqua en direction de la silhouette la plus aventureuse.

— Halte! Qui va là? tonna-t-il.

— C'est inutile, Anghelis! Ce sont des malmorts! La goule nous a trouvés! lui cria l'écho de Jékuthiel.

Une route sûre, avait promis Ulvane. Était-elle, la première, tombée entre les griffes de la goule? Les lieux n'avaient plus rien de sûr en cet instant.

— Ne les regarde pas dans les yeux! cria Jékuthiel.

Devant l'indifférence que les malmorts manifestaient à l'ordre que leur avait intimé Tomass, ce dernier décocha une flèche qui transperça de part en part le plus proche des morts-vivants comme s'il s'était agi d'un mannequin de paille. Le projectile poursuivit sa course et se perdit dans l'obscurité. Le malmort ne broncha pas et poursuivit son approche comme si de rien n'était.

— Diablerie! pesta Tomass, qui s'inquiéta de la stratégie à adopter.

Après une courte hésitation, dans un grand cri, Tomass fondit sur le moribond. Son adversaire se défendit en levant devant lui ses doigts décharnés comme autant de griffes acérées. L'agilité de Tomass surpassait de loin celle du malmort, et les griffes tendues furent battues par les kerpans qui trouvèrent le tronc. L'excarouge avait appris à préférer la solution négociée au bain de sang. Il retint ses coups, cherchant à affirmer sa supériorité plus qu'à blesser. Il comprit vite l'inutilité de sa tentative. Les kerpans touchèrent, mais il sentit que ses lames ne tailladaient vraiment que les loques de son adversaire. La chair ne fut point égratignée.

Surpris de la tournure des événements, Tomass opta pour une autre stratégie. Il assena un coup de pied au genou du monstre qu'il avait entrepris d'éliminer. Le genou ne céda pas, mais le malmort bascula néanmoins. En deux mouvements de cisaillement vifs et précis, il fractura un des poignets de la bête puis lui lacéra la gorge. Autre surprise! Devant Tomass qui n'en croyait pas ses yeux, les os se ressoudaient. Son coup, qui aurait décapité un adversaire normal, n'avait laissé qu'une entaille qui se résorbait.

La situation se corsait. Si ses lames ne venaient pas à bout des malmorts, avec quelle arme allait-il pouvoir les combattre ? À mains nues ?

La fuite devint une option. Il la rejeta néanmoins momentanément. Certes, il distancerait facilement ces monstres, mais pour combien de temps ? Il ne savait pas comment ils avaient réussi à les encercler aussi subtilement. Ils voyageaient dans l'Ombre, assurément ! En outre, il ne désirait pas abandonner Jékuthiel aux griffes des morts-vivants. Sans le ménestrel et Ulvane, où irait-il ?

En attendant une inspiration qui tardait à venir, Tomass se dégageait des griffes des monstres qui s'en prenaient à lui à deux maintenant.

— Jékuthiel ? JÉKUTHIEL ?

Le ménestrel s'était perdu quelque part dans l'obscurité. Avait-il déjà succombé sous les coups de ces monstres ? Soudainement furieux, Tomass assena une séquence de coups à l'un des malmorts. Ce dernier tomba à la renverse dans les braises. Une fumée et quelques flammes surgirent du feu étouffé, en même temps qu'un râle de la gorge putride du mort-vivant.

— Les flammes ! conclut Tomass, tout haut.

Se dégageant de l'autre malmort, il planta ses kerpans dans le sol et saisit un tison ardent. Il en raviva la flamme en soufflant dessus. Juste à temps : un des morts-vivants bondissait sur lui. Tomass lui braqua aussitôt le tison au visage. Le capuchon en lambeaux du mort-vivant s'embrasa, camouflant son cri sourd.

Tomass avait fait reculer un des malmorts. Sans chercher à mesurer toute l'étendue de l'efficacité de cette nouvelle stratégie, il saisit un autre morceau de bois enflammé. Il s'avança vers un autre malmort. Il esquiva agilement les griffes du monstre et le saisit par-derrière. Il lui retira son capuchon et le retourna pour lui enfourner le tison dans la gueule. La tentative ne fut qu'à demi réussie. Oubliant sa peur et la mise en garde du ménestrel, il fixa directement son regard dans celui hagard du malmort. Son élan perdit aussitôt toute vigueur. Il laissa tomber le bout de bois, ne brûlant que timidement les chairs pourries du moribond. Le sang de Tomass se glaça, et la peur revint le tenailler. Il chancela, recula. Se retournant pour fuir l'horreur de cette vision cauchemardesque, il croisa le regard d'un autre malmort, puis d'un autre. Il tomba à genoux alors que l'un d'eux profitait de sa stupeur pour lui lacérer le flan d'un coup de griffes. La douleur fut vive et glaciale. Sa tête se mit à tourner, comme s'il avait été ivre. Il perdit connaissance, assailli par des images effrayantes où se mêlaient morrighas éthérées et sourires narquois de morts-vivants.

12

LA GOULE DU FERELGARD

Tomass recouvra ses esprits deux ou trois heures plus tard. Il se trouva fort mal en point. Il avait mal à la tête, il se devinait de nombreuses ecchymoses et percevait les pulsations de son sang dans ses membres endoloris. Il se sentait chancelant et avait la vue trouble.

Il écarquilla néanmoins les yeux alors qu'il basculait vers l'avant. Tout étourdi qu'il était, incapable de freiner sa chute, il ne se vautra pas pour autant. Quelque chose le retint, quelque chose qui lui fit mal et lui arracha un cri. Il constata alors que ses mains étaient liées dans son dos. Où était-il? À genoux sur un inconfortable tapis de terre moite et de cailloux, il ne reconnaissait ni l'odeur ni l'ambiance de l'étrange endroit. Le lieu était sombre. L'air était chaud et humide, et pourtant il se sentait transi, comme transpercé par cette atmosphère glauque.

Alors qu'il tentait de recouvrer une vision nette, une odeur fétide et des grognements lui rappelèrent un mauvais souvenir : les malmorts ! La mémoire des récents événements lui revint aussitôt. Il avait été fait prisonnier de ces monstres et emmené en ce lieu sinistre : une enceinte de pierre en ruine. Mais pourquoi ? Pourquoi ne l'avait-on pas tout simplement achevé ? Que lui voulait la goule pour le retenir prisonnier ? Resterait-il planté là qu'il ne tarderait pas à le découvrir, mais il n'avait envie ni de l'un ni de l'autre.

Sa première tentative de se détacher se solda par un échec. Il lui sembla toutefois que ses liens n'avaient pas été noués avec beaucoup d'adresse. « Avec un peu de chance, tu arriverais à t'en libérer, se dit-il. Il te suffirait ensuite d'éviter leur regard. Tu es plus rapide. À la course, ils n'auraient aucune chance de te rattraper. »

Entre-temps, ses contorsions attirèrent l'attention niaise de ses geôliers : deux malmorts. Tomass feignit la somnolence. « Filer d'ici sans coup férir sera peut-être un peu compliqué, dut-il admettre. Saurais-tu soutenir leur regard cette fois ? »

Loin de le décourager, cette pensée l'enhardit.

La peur. Voilà la nature du sentiment qu'il avait éprouvé à toiser les yeux de ces monstres. Or, la peur, les carouges savaient la dominer pour peu qu'elle ne les surprenne pas. Cette peur-là, cependant, avait la fâcheuse particularité d'être surnaturelle. Mais Tomass aussi détenait désormais un atout dans son jeu: il était en colère. Il n'était plus terrorisé, au contraire. Il en avait assez qu'on se mette sur son chemin, assez d'être victime des événements. Il avait une quête à accomplir et n'avait que faire des humeurs d'un ancien gardien d'Ithin, fût-il maudit et mort-vivant! Il devait trouver de quoi s'opposer aux sombres desseins des morrighas. Et il devait porter secours à ses amis.

« Jékuthiel », murmura Tomass pour lui-même.

Sa colère s'accrut encore d'un cran alors qu'elle ravivait le souvenir de la disparition de son compagnon, tombé sous les coups des malmorts. Et Ulvane? Où était-elle? Non, décidément, il n'était pas question qu'il reste là à attendre qu'on lui donne la permission de s'en aller.

Il résista néanmoins encore un moment à l'énervement. Cela aurait été un peu précipité, car une autre pensée venait de lui traverser l'esprit: « Cette ambiance pesante, cet air lourd qui refuse de s'engouffrer dans mes poumons, cette lune rougeâtre… Je suis dans le Royaume de l'Ombre !» Constatation terrifiante ! Voilà qui expliquait son malaise. En outre, il ne pourrait guère compter sur sa capacité à ressentir la présence du malin : tout ici était surnaturel. Qui plus est, arriverait-il à se libérer et à prendre ses jambes à son cou qu'il ne saurait où aller. Ne franchit pas la frontière de l'Ombre qui veut. Combien de temps survivrait-il, sans armes, dans ce monde hostile ? Sa seule consolation était qu'on ne s'était pas intéressé à son fléau. Il en sentait toujours la chaîne autour de son cou.

Tant pis ! Quelque précaire que pût être sa situation, la conclusion demeurait inchangée : il devait quitter cet endroit maudit, le quitter par n'importe quel moyen et le plus rapidement possible.

«On va voir qui de nous trois a peur, mes gaillards !»

Lorsqu'il jugea le moment opportun, il essaya de nouveau de se libérer de ses liens. Pour avoir une chance d'y parvenir, il lui fallut se contorsionner avec un peu plus de vigueur. Ce faisant, son agitation ne passa plus pour de la somnolence, et les monstres décharnés s'approchèrent. Tomass se prépara à soutenir leur regard. Il rassemblait tout ce qu'il avait de courage, encouragé par la sensation d'une de ses mains qui glissait lentement entre les cordes. Cependant, l'intervention de ses geôliers ne fut pas celle anticipée. Un des moribonds plaqua sa main sur la poitrine de Tomass et poussa un cri sourd. Tomass se sentit transpercé par une cinglante douleur irradiant au flanc, à l'endroit précis où un des malmorts l'avait blessé, quelques heures auparavant. S'il avait prévu la peur, il ne s'était pas préparé à une telle souffrance. Il cria. Sa tête heurta violemment le pieu auquel il était attaché.

Tomass céda. Il se laissa tomber, feignant de nouveau l'inconscience. Et pourtant, il souriait discrètement. Trop faible pour poursuivre sa tentative, il devait récupérer un peu. Mais ses dernières contorsions avaient achevé de délier l'une de ses mains.

Non loin du fort en ruine où Tomass était retenu prisonnier, une silhouette s'affairait parmi les ombres. L'individu se délesta d'un quelconque paquetage, prenant soin de le dissimuler. Il ne se trouvait pourtant pas âme qui vive à proximité. Puis, la silhouette se rapprocha furtivement des ruines avant de s'agenouiller près d'un muret de pierre. Prise de convulsions, étouffant difficilement ses grognements, la créature se métamorphosa. Elle se dressa bientôt sur ses pattes arrière, prenant maintenant l'apparence d'une femme-loup aux crocs acérés. D'une main, elle se saisit d'un long bâton, seul objet qu'elle avait conservé des affaires abandonnées un peu plus loin.

Toujours aussi discrètement, la lycanthrope contourna la colline où s'élevaient les ruines et en amorça une ascension sournoise. De sa truffe, elle renifla les effluves nauséabonds et, de ses yeux nyctalopes, guetta attentivement tout mouvement. Son flair sembla détecter l'odeur recherchée. Gravissant encore le flanc de la colline, elle atteignit bientôt les murs fragiles de l'ancienne construction. Des coups d'œil rapides lui permirent de distinguer un prisonnier attaché à un pieu. Auprès de lui, ses deux geôliers : deux malmorts.

La reconnaissance était terminée. La bête revint sur ses pas. Elle redescendit la colline et la contourna en évitant d'attirer l'attention des malmorts postés en guet ici et là. Son grand détour la mena de l'autre côté des ruines. Elle donna l'impression de s'assurer d'être seule avant de négliger son camouflage. Elle ferait maintenant une entrée plus officielle. D'un pas assuré, elle s'approcha de la colline où s'élevaient les restes de l'ancienne fortification par un sentier à découvert.

Il ne fallut pas longtemps pour que les morts-vivants remarquent sa présence. Trois ou quatre malmorts déambulèrent dans la direction de la silhouette qui s'aventurait vers le repaire de leur maître. Ils lui barrèrent la route en braquant sur elle des gueules édentées et des yeux ténébreux. La femme-loup répondit par un grognement agressif qui la disait peu impressionnée. Mais plutôt que de provoquer l'affrontement, la lycanthrope demanda aux gardes qu'on la conduise auprès du maître des lieux.

Surgit alors un individu au teint pâle et aux longs cheveux gris et droits. D'un sifflement sinistre, il retint les serviteurs morts-vivants.

— Le maître n'est pas satisfait, cracha-t-il au visage de la femme-loup.

— Ses humeurs ne m'intéressent pas, répondit-elle en guise de défi. Mais si ça peut lui faire du bien, tu peux lui dire que je ne le suis pas davantage.

Invitée en ce sens par l'homme au teint pâle, la femme-loup franchit le barrage de malmorts et suivit son hôte dans l'enceinte de ruines qui leur tenait lieu de quartier général.

Après avoir croisé deux ou trois autres moribonds, l'homme et la femme-loup atteignirent le cœur de l'enceinte sur les murs de laquelle se miraient les flammes de plusieurs torches.

Dans les ombres dansantes se tenait une autre silhouette. Même le dos voûté, sous un long manteau à capuchon, sa taille en imposait. De ses manches, longues et amples, dépassaient des mains décharnées qui donnaient aux ongles négligés l'apparence de griffes. La créature se retourna lentement et clopina en direction des deux intrus comme l'eût fait un singe simulant la bipédie. Se joignit alors à la réunion un autre homme au teint pâle, dont le port était beaucoup plus altier et plus leste. Les deux hommes livides prirent place aux côtés de la créature à capuchon, croisant des bras puissants sur leur torse.

— Tu ne manques pas d'air, vermine! Te présenter ainsi devant moi après m'avoir berné!

— Je n'ai berné personne! protesta la femme-loup dans un grognement de même acabit que celui de son interlocuteur.

— Saleté de lycanthrope! Tu feras les frais de ma colère. Comme le prévoyait notre marché.

— Notre marché prévoyait que je vous livre le pantin. Mais c'est moi qui devais avoir l'autre. Vos sbires m'ont privée de ma part!

— Ta part! Ta part ne m'intéresse guère, pour le moment. Mais j'ai bien fait de garder l'autre gredin en vie, si c'est ce qui t'a conduite ici. Je me vengerai sur ta misérable carcasse. Tu marcheras bientôt aux côtés de mes malmorts.

— J'en doute fort, car ce serait renoncer à ce que vous convoitez depuis trop longtemps déjà.

— Comment pourrait-il en être autrement désormais? Je tenais ma chance, mais c'est l'autre vaurien que mes mignons m'ont ramené. Pas ce que tu nous avais promis.

— C'est que vos sbires sont stupides! interrompit l'autre. Ils n'avaient qu'à s'en prendre au bon bougre!

— Le résultat est le même: je n'ai pas récupéré mon bien. Et l'autre court toujours.

— Vous faites erreur. L'autre, je l'ai capturé. Si c'est lui que vous cherchez, il est à vous.

Au même moment, des bruits suspects interrompirent la conversation.

— Va voir ce qu'ils fabriquent, ordonna la goule à l'un de ses gardes du corps. Ne me l'amoche pas trop. Il pourra peut-être encore servir.

Retournant son visage obscur vers la lycanthrope, la goule reprit la conversation:

— Puisque tu dis que tu détiens le ménestrel, dis-nous où il est et tu es libre.

— Il n'en est pas question.

— Tu oses me défier?

— Je ne défie personne, je réitère les

conditions du marché : je vous livre le ménestrel et vous me remettez l'autre. J'ai droit à ma part.

— Soit. Amène-moi cette autre vermine et tu pourras disposer de la viande que tu convoites comme bon te semble.

— Que sa viande soit fraîche ! Je ne suis pas nécrophage !

— Tu n'es pas en position d'exiger quoi que ce soit. N'abuse pas de ta chance et déguerpis.

Tomass avait perdu beaucoup de force. Il souhaitait malgré tout aller de l'avant avec son plan, plan qu'il venait d'assortir d'un volet supplémentaire. Un des malmorts portait un glaive à sa ceinture. Tomass souhaitait s'en emparer.

Lorsqu'il s'en sentit l'énergie, il libéra discrètement son autre main. Il y avait peu de chances que le malmort armé passe près de lui. Il lui fallait provoquer les événements. Il recommença donc à gesticuler. Comme la fois précédente, les gardiens s'approchèrent de lui.

Les créatures niaises n'avaient visiblement pas prévu l'évasion de leur prisonnier. Tomass bondit entre les deux monstres. Sollicitant ce qu'il lui restait de force, il leur assena deux ou trois coups de pieds précis et les fit tomber tous les deux. Il profita de l'occasion pour délester le malmort de son glaive, qu'il fit danser à la face des deux malmorts. À défaut d'impressionner les monstres, la démonstration lui donna du courage. Évitant de croiser directement le regard de ses adversaires, Tomass leur assena quelques coups, leur faisant ravaler leurs râles. Sans surprise, les morts-vivants furent bousculés, mais leurs chairs ne furent pas réellement abîmées. Peu lui importait. Il profita de l'espace qu'il avait dégagé pour prendre la fuite par une des ouvertures de l'enceinte.

Malheureusement pour Tomass, sa fuite prit fin aussi abruptement qu'elle avait commencé. Vif comme l'éclair, un des gardes du corps de la goule s'était interposé, un sourire narquois sur les lèvres. Tomass le heurta de plein fouet et tomba à la renverse; l'autre n'avait pas bougé.

Prestement sur ses pieds, l'ex-carouge n'attendit pas d'invitation. Il exécuta une botte superbe qui surprit son adversaire. Mais, à l'instar des malmorts, la créature de l'Ombre n'avait rien à craindre du glaive que Tomass avait dérobé. L'enchaînement de coups portés par la lame eût tué net en d'autres circonstances. Malheureusement, ils ne causèrent guère plus cette fois que des égratignures qui eurent tôt fait de disparaître sans laisser de traces.

Insulté de s'être fait attaquer de la sorte, le sinistre individu répondit par une offensive d'une vitesse et d'une précision prodigieuses. Tomass en perdit son arme. En l'attrapant au vol, le monstre en usa à son tour contre Tomass. Le coup, à demi retenu, lui amputa deux doigts de la main gauche. Tomass voulut crier toute sa douleur, mais son cri s'étouffa dans sa gorge lorsqu'il reçut le genou de l'autre dans les testicules. Le Garou s'écroula de nouveau, envahi par la nausée.

Le jour se levait. Une aube lugubre sous un soleil timide aussi rouge que la lune qu'il relayait. C'est un Jékuthiel inerte qu'une bête aux allures de loup portait sur le dos. La bête se hâtait vers la colline et ses ruines.

Arrivée près d'une pierre qui surgissait du sol comme la proue d'un navire, la femme-loup déposa son fardeau. Elle vérifia les nœuds qui retenaient le ménestrel prisonnier. Elle ajusta le bâillon. Elle s'assura qu'il contenait toujours suffisamment de poison pour que son prisonnier demeure évanoui.

— Respire bien, mon ami. Il est trop tôt

pour mourir. Je cède le privilège de mettre fin à ta triste existence à un autre. Il faudra que tu tiennes jusque-là. Sache que je t'aurai aimé jusqu'à la fin. Ma seule amertume n'aurait pas justifié un aussi terrible châtiment. Mais tu as dépassé les bornes, cette fois. Et il me faut encore soustraire un innocent à cette folie.

Abandonnant le ménestrel à son sort, elle se saisit de son bâton de marche et en frappa le sol par deux fois. Aussitôt, une ombre aux allures félines surgit de nulle part. La femme-loup écouta attentivement le compte-rendu de celui qu'elle venait de rappeler de sa maraude.

— Puisque tu dis que l'endroit est sûr…

La femme-loup donna congé au spectre panthère.

— Maintenant, il faut jouer serré.

Ce fut au trot cette fois que la créature s'approcha des ruines. Le temps jouait contre ses projets.

Elle ignora le barrage que les malmorts tentaient de dresser sur son passage. Elle connaissait les airs de la maison et n'avait visiblement cure de demander la permission de s'y aventurer. Sans chercher à prendre qui que ce soit par surprise, elle fit néanmoins irruption là où, quelques heures plus tôt, elle avait conversé avec la goule. Les gardes du corps se ruèrent immédiatement sur elle.

— Bas les pattes! ordonna-t-elle en se débattant. Dites à vos sbires de me lâcher, ou vous perdez votre part du marché.

— Où est-il?

— Vous n'en saurez rien tant que vous n'aurez pas assuré ma sécurité et ne m'aurez pas montré mon butin.

— N'en sois pas si sûre, ricana la goule en levant un bras.

Aussitôt, un corbeau ébouriffé vint s'y poser.

Le regard de la femme-loup trahit alors sa stupeur : le grand sortilège de perception, qui permettait, entre autres, au mage qui le maîtrisait de voir par les yeux d'un corbeau. La goule l'avait visiblement épiée. Son plan tournait au plus mal. Si l'autre avait découvert où se trouvait Jékuthiel, sa vie n'avait plus aucune valeur.

Alors que la goule consultait son oiseau, une armée de malmorts amorça un encerclement. Les deux hommes au visage blême laissèrent tomber la femme-loup. Ils rejoignirent plutôt la goule qui leur posa à chacun une main sur le crâne.

— Allez! Ramenez-moi le ménestrel!

Alors que filaient les deux serviteurs, la goule se retourna vers la femme-loup, qui récupérait son bâton.

— À nous deux maintenant. Saisissez-vous d'elle, mes mignons. Amenez-la-moi.

— Traître ! hurla la femme-loup.

— Tu es mal placée pour parler, conclut la goule.

Avant d'être submergée par les morts-vivants au regard hagard qui clopinaient vers elle, la lycanthrope s'agenouilla pour ce qui aurait pu être une ultime prière. Mais la bête n'avait pas livré son dernier combat. Elle invoquait silencieusement les puissances de la nature. Elle puisait en elle la force d'échapper à ses adversaires.

Lorsque les premières griffes de malmorts osèrent la toucher, elle rugit de colère. Écartant les bras, elle fit voler deux ou trois malmorts. Saisissant à deux mains son bâton, elle en assena un coup d'estoc à la poitrine d'un des morts-vivants. Celui-ci fut pris de convulsions alors que sa chair s'illuminait et se consumait. Un malmort de moins.

La démonstration ne changea rien à l'attitude des morts-vivants. Cependant, la goule n'avait pas prévu pareille résistance. Dépourvue de ses gardes d'élite, elle allait devoir intervenir avant que ses troupes ne soient décimées.

La femme-loup tiendrait tête aux malmorts, mais la goule du Ferelgard était d'une supériorité manifeste. Sa réputation la disait maître de magie. À l'évidence, la lycanthrope ne souhaitait pas rester pour assister à une démonstration de l'étendue de ses pouvoirs. Manœuvrant comme elle le pouvait au milieu d'une armée de bras décharnés brandissant des griffes acérées, elle heurta le sol de son bâton. C'est alors que, surgissant de nulle part, sa panthère éthérée se rua sur la goule et la déséquilibra. L'occasion rêvée.

Dans un autre rugissement, la femme-loup bondit dans les airs par-dessus l'un des murs de l'enceinte, comme portée par le vent. Elle atterrit en douceur de l'autre côté. Sans attendre que les autres reviennent, elle quitta dans une course effrénée les ruines de la colline, profitant des dernières ténèbres de l'aube.

Elle n'était pas encore tirée d'affaire, mais elle ne prit pas la fuite pour autant. Elle retourna aussi vite qu'elle le put là où elle avait abandonné son attirail. Son flair surnaturel lui révéla une présence indésirable. Sans hésitation aucune, elle retira un arc et une flèche du paquetage caché sous un buisson rabougri. Vif comme l'éclair, le trait fila vers le ciel, où il fit mouche. Le corbeau de la goule, qui s'était aventuré un peu trop près, tomba raide mort à ses pieds.

— Tu ne m'épieras pas cette fois.

Sous le couvert des arbustes, la femme-loup procéda à la métamorphose inverse qui lui redonna sa forme humaine. Ulvane se rhabilla et récupéra son équipement. Elle se figea soudain : les deux serviteurs avaient trouvé l'endroit où elle avait abandonné Jékuthiel. Ils s'en revenaient vers les ruines, traînant Jékuthiel derrière eux.

Retour à la case départ. Tomass était de nouveau attaché à son pieu. Et ses liens s'avéraient autrement plus solides. Sa main blessée l'élançait douloureusement. Il avait froid, un symptôme qu'il associait plus à ses multiples hémorragies qu'à la température, encore chaude et humide. Un soleil inquiétant se levait, peut-être le dernier qu'il verrait jamais.

Il enragea de plus belle, mais en vain, car ses liens ne céderaient pas cette fois. Il tenta de se lever. Il ne serait pas à genoux lorsqu'on le mettrait à mort. Son heure approchait, lui semblait-il. Par-delà les murs de la vieille redoute, on s'agitait fort. Il serait vite fixé. Au loin, il entendait des grognements et des ordres donnés dans une langue inconnue.

Il sursauta soudain. Une lame entre ses mains !

— Ulvane !

— Chut ! Nous n'avons pas beaucoup de temps. J'espère que tu peux courir.

— C'est inespéré ! S'il le faut, je volerai !

— Tu ne crois pas si bien dire.

Tomass ne prêta pas attention à ce que venait de dire Ulvane. Ses mains étaient libres. Il constata alors tristement l'étendue des dommages que le monstre lui avait causés. Il était bel et bien amputé de l'auriculaire et de l'annulaire gauche. Il ne put réprimer un juron d'impuissance. Ulvane le rappela à une réalité plus pressante.

— Tiens ! J'ai trouvé ça en venant. Il me semble que c'est à toi.

Elle lui tendit ses kerpans. Tomass s'en saisit aussitôt, constatant à la douleur de sa main qu'il n'arriverait pour l'heure qu'à se servir de celui qu'il tenait avec la droite. Et déjà trois malmorts avaient fait irruption un peu plus loin dans les ruines et venaient dans leur direction.

Ulvane tira Tomass vers elle par la chemise.

— Vite ! Suis-moi !

Pendant que les deux fuyards tâchaient de mettre autant de distance que possible entre eux et leurs éventuels poursuivants, dans l'enceinte du vieux fort, on s'agitait ferme. La goule venait de mettre la main sur Jékuthiel, toujours sous l'influence des plantes empoisonnées. Elle lança alors un de ses anges exterminateurs à la poursuite de la femme-loup. Porté par les puissances ténébreuses, le serviteur la rattraperait avant longtemps, quelle que soit la direction qu'elle ait choisie.

— Je retire ce que j'ai dit, Ulvane, souffla Tomass, qui souffrait visiblement. Je ne vole pas, je puis à peine marcher.

— Je t'en supplie! Je n'ai pas fait tout ça pour rien. Nous y sommes presque!

— Où veux-tu aller? Nous sommes dans l'Ombre. Ils nous trouveront tôt ou tard.

— Jékuthiel m'a enseigné un truc ou deux qui pourraient nous être utiles. Mais ils ne serviront à rien si tu t'écroules ici.

Tomass ne savait pas de quoi parlait Ulvane. Mais la simple mention du nom de son ami lui redonna l'espoir qui lui faisait défaut.

À deux ou trois centaines de coudées plus loin, ils arrivèrent tous deux en vue d'un lugubre cours d'eau au bord duquel Ulvane avait laissé un canot. La coureuse des bois sauta aussitôt à bord et invita Tomass à la suivre. Elle mit ensuite le canot à l'eau et donna quelques vigoureux coups de pagaie. Elle posa ensuite l'aviron en travers de l'embarcation et sortit une poignée d'herbes d'une petite besace et plaça le tout dans une cassolette. Tomass comprit alors ce qu'elle allait tenter.

La grand-chasse. Il ne voyait pas en quoi elle réglerait quoi que ce soit, mais elle leur ferait probablement gagner un temps précieux.

— Jette un œil par-dessus ton épaule, Tomass.

Il ne fallut pas longtemps pour que le poursuivant se manifeste.

— Ulvane !

— Tiens ! lui dit-elle, en lui remettant un briquet. Allume les herbes.

Ils permutèrent leurs positions, ce qui permit à Ulvane de faire face au monstre qui serait sur eux dans un instant.

Au loin accourait l'un des serviteurs de la goule. Il fondait sur eux. Après deux ou trois pas dans la vase de la berge, il exécuta un bond prodigieux et se serait retrouvé dans le canot, n'eût été le trait décoché par Ulvane à bout portant. La flèche fit mouche, et l'ange de l'Ombre retomba dans l'eau derrière eux.

— Tu l'as eu ?

— L'atteindre, c'est une chose, mais c'est un démon. À moins que tu saches enchanter mes flèches, il nous faudra autre chose pour nous en débarrasser définitivement.

Et alors, le canot s'éleva. Trop peu, cependant. D'un autre bond, le monstre avait rejoint l'embarcation et s'y était agrippé. Le canot bascula alors vers l'arrière, projetant ses deux occupants à la renverse. La chance leur sourit néanmoins. Ne trouvant de quoi freiner sa chute, le corps de Tomass s'écrasa contre celui d'Ulvane, mais un de ses coudes heurta les doigts de la créature de l'Ombre, qui lâcha prise. Aussitôt, le canot revint en position horizontale.

Tomass et Ulvane passèrent à un cheveu de laisser tomber leurs pagaies, mais l'un et l'autre les rattrapèrent à temps. De quelques coups hâtifs de pagaies, ils s'élevèrent encore davantage avec le canot, échappant définitivement à leur poursuivant.

Tomass n'éprouva pas de vertige réel cette fois, mais sa main blessée le faisait trop souffrir pour qu'il puisse tenir solidement la pagaie. Ses coups étaient faibles, et le canot ne prit que peu d'altitude.

— Ma main me fait terriblement souffrir, se plaignit-il à Ulvane. Je risque de perdre l'aviron.

— Tiens encore un peu, je t'en prie. Je n'ai plus de cette herbe qui enchante le canot. Si nous nous posons maintenant, nous ne pourrons plus rejoindre la Lumière.

— Je ne comprends pas, avoua Tomass. Tu sais comment rejoindre l'autre monde ?

— Bien entendu ! Comment crois-tu que je suis arrivée ici ?

Tomass se sentit sot de ne pas y avoir pensé.

— C'est encore loin?

— Ce n'est pas une question de distance, mais de canot.

— Tu veux dire qu'on peut passer dans l'Ombre par la grand-chasse?

— C'est surtout à cette fin que la grand-chasse a toujours été utilisée. Mais en ce qui nous concerne, c'est un retour vers la Lumière qui m'intéresse.

La curiosité et l'espoir de quitter enfin ce monde sinistre redonnèrent un peu de vigueur aux coups de rame de Tomass. Ce fut beaucoup plus tard, pourtant, alors que Tomass ramait par habitude somnolente plus que par conviction, que le canot gagna suffisamment d'altitude pour permettre un passage vers la Lumière par une fissure entre les mondes.

De retour dans le Monde originel, voyant que son compagnon de canot ne tiendrait plus très longtemps, Ulvane fit en sorte de poser leur embarcation dans la délicate rivière qui s'enfonçait vers le nord dans une forêt. Comme elle l'avait redouté, Tomass s'effondra d'épuisement. Elle le laissa se reposer. Longtemps après le mi-jour, elle accosta. Elle débarqua ses affaires et allongea Tomass confortablement dans la mousse humide. Il n'en eut conscience qu'à demi.

Ulvane cassa une croûte méritée. Elle s'affaira ensuite à nettoyer les blessures de Tomass. La plaie purulente de son flanc l'inquiétait. Elle ne saurait pas la soigner. L'Échomancien y parviendrait, lui. Elle nettoya les autres. Elle profita du fait que Tomass dormait paisiblement pour chauffer la lame d'un coutelas et pour tenter de cautériser les plaies de ses moignons de doigts.

La douleur de Tomass fut vive, mais moins que ne l'avait prévu Ulvane, ignorante de la relation que Tomass entretenait avec le feu, suffisante néanmoins pour le réveiller en sursaut. Il roula sur lui-même comme pour se dérober à cette agression, dont il ignorait la teneur. Haletant, il se dressa et fit face à Ulvane, avant de comprendre ce qui venait de lui arriver. La vagabonde tenta d'expliquer son geste. Ce fut inutile. Tomass souffrait, mais comprenait très bien, pour avoir lui-même pratiqué la cautérisation à maintes reprises auparavant. Il ne l'avait jamais expérimentée personnellement et se demandait maintenant si cela allait fonctionner sur lui.

Lorsque la panique le quitta, il tomba à genoux. Il se massait la main en espérant faire diminuer la douleur. Ulvane vint s'asseoir près de lui. Elle l'invita à s'étendre et à se reposer. Elle caressa son visage crispé de douleur.

Elle épongea sa sueur et nettoya un peu de sa crasse.

Tomass commençait à respirer plus calmement. Lorsqu'il s'en sentit la force, il lui demanda :

— Et maintenant ?

— Tu cherchais l'Échomancien ? Nous sommes chez lui.

— Et Jékuthiel ?

Ulvane se contenta de regarder au loin, sans répondre.

— Il faut retourner le chercher, dit Tomass.

Ulvane regarda Tomass. Elle esquissa un triste sourire et fit non de la tête. Tomass reprit son rictus de douleur pour masquer les larmes qu'il tentait de contenir. C'est alors que, sans prévenir, Ulvane posa un doux baiser à la commissure de ses lèvres. Tomass n'avait rien anticipé de tel. Ulvane sembla elle-même surprise de son initiative. Et pourtant, elle l'embrassa de nouveau, sur les lèvres cette fois. Tomass se laissa faire, mais était toujours aussi stupéfait. Elle récidiva, plus tendrement. Le baiser suivant vint de Tomass. Il fut vigoureux, presque violent, mais de courte durée. Pour rapprocher les lèvres d'Ulvane des siennes, il avait dû poser sa main blessée par terre, ce qui lui arracha une grimace. Mais déjà Ulvane prenait la relève et l'embrassait sauvagement à son tour.

Ils s'abandonnèrent l'un et l'autre à leur désir émergent, comme si leurs ébats servaient d'exutoire à toute la peur, la souffrance et l'angoisse qu'ils avaient accumulées récemment. Oubliant la douleur, ils s'aimèrent sous les arbres de la terre de l'Échomancien. Ils s'enlacèrent et roulèrent l'un sur l'autre avec toute la fougue et la maladresse que leurs corps meurtris leur imposaient.

Quelques heures plus tard, alors que la lune se levait, un événement étrange était en train de se produire. Ni Tomass ni Ulvane n'en auraient eu conscience si des bruits inquiétants n'avaient tiré Ulvane de son sommeil. Elle et Tomass s'étaient endormis, l'un contre l'autre, à demi nus. Ce doux moment de tendresse consommé, après deux ou trois heures de sommeil réparateur, les bruits sylvestres paraissaient avoir rappelé à Ulvane qu'il n'était pas sage de s'assoupir ainsi au milieu d'une terre sauvage, surtout par des temps aussi troublés.

Ulvane s'était donc levée prestement. Armée de son bâton, elle semblait avoir finalement conclu à l'absence de danger immédiat. Elle en avait profité pour s'habiller convenablement et monter un guet plus alerte. Dans l'heure qui suivit, elle porta souvent son regard vers cet homme, étendu dans l'herbe, avec qui elle venait de faire l'amour. Invariablement, elle soupirait avant de détourner les yeux. Regrettait-elle ce qui venait de se passer ?

C'est au milieu de ces rêveries, les yeux rivés sur Tomass qui dormait toujours, qu'elle constata que quelque chose n'allait pas. Elle cligna des yeux, les frotta. Rien n'y fit. Le corps de Tomass s'évanouissait.

— Tomass ! cria-t-elle. TOMASS !

Ce dernier ouvrit les yeux timidement. Devant l'insistance d'Ulvane et la détresse manifeste qui l'animait, il prit peur. La peur se fit d'autant plus grande qu'il n'arrivait pas à bouger. Il se sentait lourd et léger à la fois. Il n'était plus maître de son corps. Pire, il se sentait vaciller intérieurement. Un rêve irrésistible l'assaillait. Il se sentait partir.

— Tomass ! Reste avec moi ! l'implora Ulvane. Reste ! Résiste !

Mais Tomass n'y pouvait rien. Résister à quoi ? Que lui arrivait-il ? Ulvane paraissait le deviner, mais ne le croyait pas.

— Comment est-ce possible ?

La réponse lui vint alors. Elle s'agenouilla devant Tomass. Elle hésita d'abord à le toucher, mais s'y résigna enfin. Elle redressa comme elle le put le corps qui était désormais d'une texture très singulière. Ce fut suffisant pour confirmer ses craintes. Elle trouva sur la nuque de Tomass ce qu'elle subodorait.

— Jékuthiel! Pourquoi?

Ce furent les dernières paroles que Tomass entendit de la bouche d'Ulvane. Il n'était déjà plus avec elle.

ÉPILOGUE

Trois morrighas rôdaient désormais. Trois ombres fugaces libérées de leur écrin. Trois autres encore assoupies dans leur geôle séculaire. Pour combien de temps? Et de cette terrible menace planant sur les Sept Royaumes, trois bougres seulement semblaient être au fait. Mais le premier venait de se volatiliser, disparaissant pour une raison tout aussi obscure que sa destination. Le second venait d'être abandonné aux griffes de la goule du Ferelgard par la troisième, une vagabonde, traîtresse et lycanthrope, désormais seule détentrice de la terrible nouvelle du retour des morrighas.

LISTE DES PERSONNAGES IMPORTANTS

Alfs : Peuple de l'Éthrandil.
Archimage : Dernier des Valcrims, la race des puissants, mage parmi les mages, il fait figure de dieu et de sauveur dans les Sept Royaumes, malgré le fait qu'il soit mort depuis près de sept siècles.
Axiwand : Magiark, il réside à Heirador, la capitale de l'Éthrandil, où il s'occupe de la grande bibliothèque.

Blafards : Surnom des Alfs, à cause de leur teint pâle.
Brigga la sorcière : Herboriste et mystique.

Carouges : Guerriers-chasseurs au service de la Couronne du Mythill.
Claodina : Spirite et connaissance de Jékuthiel.

Dame Lachésis : Doyenne des Nornes.

Échomancien : Mage de grande réputation, aussi appelé « mage sinople ».
Ezekiel : Jeune chasseur orialf, de la Maison de Silrian.

Filigriane: Fée du Morcen qui s'en prend aux voyageurs imprudents. Elle est bien connue de Jékuthiel.

Fomors: Mystérieux guerriers au mutisme légendaire, tout de noir vêtus, chevauchant des montures au caparaçon cornu et dont les desseins sont inconnus. Ils sont à l'origine de l'expression « secret de fomor ».

Garou: Surnom de Tomass Anghelis; valeureux carouge membre de la compagnie du fameux capitaine Lothar.

Goule du Ferelgard: Créature mystérieuse, probablement un ancien gardien du Ferelgard, que l'on dit sorcière et nécromancienne.

Jekus: Peuple du Ferelgard.

Jékuthiel: Semi-alf ménestrel au talent incomparable.

Khyrans: Peuple de l'Effrith Khyr et du Dorom Khyr.

Lilith Letarignac: Fille de Milosh.

Lothar: Capitaine d'une prestigieuse compagnie de guerriers-chasseurs appelés carouges. Les carouges sont au service de la couronne du Mythill, le Troisième Royaume.

Magiarks : Enfants de l'Archimage, venus en sauveurs en ce qui allait devenir les Sept Royaumes, les magiarks étaient de puissants mages. Au nombre de douze à l'origine, seuls cinq ont survécu à la chasse aux morrighas. Il n'en reste plus que quatre au moment du récit.

Milosh Letarignac : Pêcheur des Havres, au Mythill, ami de Tomass.

Mitgarth : Mage mystérieux, réputé très puissant, aussi appelé «mage sans terre».

Morrighas : Six sorcières spectrales qui hantaient jadis ce qui allait devenir les Sept Royaumes. Elles furent vaincues et enfermées dans les geôles de pierre et y demeurent depuis.

Neverek : Fils de Salomé.

Nixis : Magiarke disparue, qui serait à l'origine du Premier Sanctuaire, une des régions de la Nécropole où seraient inhumées les dépouilles de quatre autres magiarks.

Nornes : Aussi appelées «dames blanches», voyantes au service de la couronne du Mythill.

Ondalfs : Alfs vivant sur les côtes de l'Éthrandil.

Orialfs : Alfs vivants dans les bois de l'Éthrandil.

Salomé : Habitante du Morcen qui accueille Tomass chez elle pour un temps.

Sasgarls : Nom donné aux gardiens de la Nécropole.

Tomass Anghelis : Aussi appelé « le Garou » ; valeureux carouge membre de la compagnie du fameux capitaine Lothar.

Uluriak : Magiark, en l'occurrence celui qui parcourt les Sept Royaumes pour y célébrer les cérémonies des Pierres, les geôles où sont enfermées les morrighas.

Ulvane : Coureuse des bois et connaissance de longue date de Jékuthiel.

Valcrims : Peuple ancien, disparu au moment du récit, dont l'Archimage aurait été le dernier représentant.

GLOSSAIRE

Cœur-brasier: Grand troll des temps anciens.

Gibrelle: Plante herbacée assez courante dans les Sept Royaumes et dont on peut tirer un son strident qui a la particularité de causer de grandes souffrances aux urkians.

Griffu: Lézard souvent utilisé comme monture par les carouges et dont les pattes avant sont terminées par une longue griffe.

Kerpan: Type de sabre à pointe effilée propre aux carouges.

Leogapos: Antilope ailée au pelage moucheté de brun et de jaune et aux longues cornes torsadées recourbées vers l'avant.

Loven: Chemise alfime dont le motif est propre à chaque maison ou clan. Aussi appelée « chemise de clan ».

Malebête: Nom qui sert à désigner toute bête de l'Ombre. Au Mythill, ce vocable désigne surtout les loups pourpres.

Malmort: Nom qui sert à désigner différentes formes de morts-vivants, ceux qui sont sous les ordres de la goule du Ferelgard, notamment.

Morvelon: Aussi appelés trolls poilus, les morvelons constituent une race inférieure de trolls, plus petite et beaucoup moins dangereuse que les races de trolls anciens.

Por: Dispositif à base de filets servant à la pêche à l'anguille.

Samain: Nuit de la pleine lune de la lune d'Asghand, la première de l'automne. Cette nuit est aussi appelée «la nuit des âmes» parce qu'il est fréquent qu'en cette nuit, des brèches s'ouvrent spontanément entre les mondes, notamment entre l'Ombre et la Lumière, permettant aux âmes, mais aussi à de viles créatures, de venir hanter le Monde originel.

Trator: Serpent constricteur qui se camoufle parmi les racines saillantes des arbres.

Urkian: Fauve de la taille d'un ours.

TABLE DES MATIÈRES

ET PLANENT LES OMBRES

NICOLAS FAUCHER

ET PLANENT LES OMBRES
1. LE FLÉAU DU CAROUGE

ÉDITIONS
MICHEL
QUINTIN

NICOLAS FAUCHER

ET PLANENT LES OMBRES
2. LA NUIT DES ÂMES

ÉDITIONS
MICHEL
QUINTIN